等伯

上

安部龍太郎

日本経済新聞出版社

目次

下巻目次

装幀　菊地信義
装画　長谷川等伯「松林図屛風」
（国宝、部分）
東京国立博物館所蔵
Image: TNM Image Archives
カバー装画は右隻、見返し装画は左隻。ともに白黒反転使用。

等伯　上

第一章　京へ

雨だった。頭上にたれこめた厚い雲から、大粒の雨がふり落ちてくる。陰暦三月、ひな祭りも近いというのに肌寒い日がつづき、三和土《たたき》はひんやりとした冷気におおわれていた。

長谷川又四郎信春《はせがわまたしろうのぶはる》（等伯《とうはく》）は草鞋《わらじ》のひもをきつく結び、古ぼけた蓑《みの》をまとった。上背は五尺八寸、百八十センチちかい長身なので、蓑をまとうといっそう大きく見える。

「そのように古いものを召されなくとも、新しいものがありますのに」

妻の静子《しずこ》が気遣った。

側には四歳になる息子の久蔵《きゅうぞう》が、眠い目をこすりながら見送りに出ていた。

「この雨は明日にはあがる。捨ててもいいように、古いものを着ていくのだ」

「明日はいつ頃お戻りでしょうか」

「向こうとの交渉次第だが、夕方までには帰れると思う」

信春はぎこちなく嘘をつき、やぶれかけた笠をかぶって表に出た。

外の冷え込みは厳しく、雨がみぞれに変わりそうである。信春は笠を目深にかぶり、人目をさけてうつむきがちに歩き出した。

静子には越中関野《せきの》（高岡）に絵具と紙を仕入れに行くと言っている。京都からいい品が入ったと連絡があった。泊りがけで買い付けに行くと口実をならべたが、本当は実家の兄の奥村武之《おくむらたけの》丞《じょう》に話があると呼び出されたのだった。

能登七尾《ななお》城から港につづく道の両側には、商人や職人の店がずらりと並び、北陸一のにぎわいを見せていた。坂を下りきった所に広がる港には、日本海をわたってきた船が縁を寄せあってつながれている。

冬の間は激しい風と波に閉ざされていた海も、春のおとずれとともにおだやかになる。それを待ちわびていた廻船業者が、諸国の産物を満載して船を付けているのだった。

（さるお方の後押しが得られると言っていたが、いったいどんな話だろう）

武之丞の不敵な面構えを思い出し、信春はぶるりとひとつ身震いした。行動力もあり武術にもたけた兄だが、うかつに誘いにのればどんな面倒に巻き込まれるか分からなかった。

船宿が建ちならぶ港口の一角まで来た時、信春は物陰から伸びた長い腕にいきなりつかまれ、路地に引きずり込まれた。

破れ笠をかぶって漁夫のような粗末な形《なり》をしているが、武之丞だということは肩口の肉付きを見ただけで分った。

「兄上、いったいどうなされたのです」

「どうしたもこうしたもあるか。身許が知れぬように姿を変えて来いと、あれほどきつく申し付けたではないか」

武之丞は信春の胸倉をつかみ、脇の壁にぐいぐいと押し付けた。

「ですからこうして蓑と笠をつけております」

「これくらいではすぐにそちと分るわ。ただでさえこの図体は目立つからな」

武之丞は信春を裏通りの船小屋まで連れていき、これに着替えろと漁夫の仕事着を突きつけた。

今しがたまで誰かが着ていたらしく、鱗《うろこ》や血のりの生臭さが鼻をつく。

信春は気持悪さに耐えながら、やっとの思いで着替えを終えた。

汗でぬれた所がひんやりと肌に当たり、背筋にぞくりと寒気が走った。

「このことが七人衆に知れたら、我らの命が危うくなる。そう心しておけ」

「ならば、どこで誰と会うのか教えて下さい。何も知らせずに用心せよとばかり言われても、合点がゆきませぬ」

「今は言えぬが、お前にとって損な話ではない。わしを信じてついて来ればよいのだ」

武之丞は変装の具合を確かめると、港のはずれにもやっている塩船に連れていった。

製塩は能登半島の有力な産業のひとつである。中でも奥能登の塩田で作られる塩は品質がよく、食用や海産物の塩漬け用として越中や飛驒方面で珍重されていた。

「越中まで参られるのですか」

「くどい。黙ってついて来いと言ったはずだ」

武之丞は誰かに付けられていないかとあたりを見回し、素早く塩船に乗り込んだ。

船頭とはあらかじめ話をつけていたようで、銭の包みを握らせただけで船底に下りていく。ぎっしりと塩の俵をつんだ船底は、腐った魚の臭いにむせかえるようである。

入り口の戸を閉めると真っ暗になり、地獄の底に閉じ込められた気分だった。

「しばらくの辛抱だ。沖に出たなら甲板に上がれる」

武之丞は俵の隙間を見つけて座り込み、ほどなく大きな寝息をたて始めた。

相変わらず身勝手な兄だとあきれながら、信春はできるだけ離れた場所をえらんで座り込んだ。

やがて合図の太鼓が打ち鳴らされ、船がゆっくりと港をはなれた。櫓をこぐ水夫《かこ》たちの掛け声と木がすれ合ってきしむ音が、船板をとおして間近に聞こえてくる。

内海である七尾湾は波がおだやかで、幸い風もないようである。船はすべるように順調に北へ向かっていった。

(とにかく相手に会ってみよう。無理な話なら断わればいいのだ)

信春は両腕で体を抱きしめながら寒さと悪臭に耐えていた。


相談をもちかけたのは信春だった。

身内の新年会で武之丞と会い、酒をくみ交わしているうちに、

「本物の絵師になるには、都で和漢の名画にふれ、一流の絵師たちと交わらなければ駄目なんで

す。でも養父《ちち》には頼めないし、染物屋の仕事もある。だから都に出る大義名分がないものかと、頭を悩ましているんですよ」

我知らずそう口走っていた。

信春は奥村家から長谷川家に養子に入った身なので、養父母にも妻の静子にも遠慮がある。誰にも本心を打ち明けられないまま悶々としていたせいか、酔いがまわるにつれて自制の歯止めがきかなくなったのだった。

それ以後何の音沙汰もなかったので、酒の席での戯言《ざれごと》だと思われたのだと半ば安心していた。ところが、五日前に武之丞が突然家を訪ねてきて、都に行きたいのなら願ってもない話があると言った。

「ただし、ひとつだけやってもらわねばならぬことがある。人目につかぬように姿を変えて、五日後の辰の刻（午前八時）に港に来い」

信春を外に連れ出すと、秘密めかしてそう告げたのである。

信春は迷った。養父であり絵の師匠でもある長谷川宗清《むねきよ》の許しも得ずに、こんな話を進めていい訳がない。静子に嘘をつくのも後ろめたかったが、この機会をのがせば一生都に出られなくなるという焦りがあった。

信春は三十三歳になり、絵仏師としてすでに一家をなしていた。日蓮宗《にちれん》に帰依し、寺におさめる仏画を専門に描くので、絵師ではなく絵仏師という特別な呼び方をされている。

その力量は能登ばかりか越中や加賀でも高く評価され、有力な寺から引きもきらずに注文が舞

い込んでくる。何不自由ない恵まれた境遇だが、信春は満足していなかった。

このまま田舎の絵仏師で終りたくない。花鳥画や山水画にも筆をそめ、今をときめく狩野永徳《かのうえいとく》と肩をならべるような絵師になりたい。そうした思いが胸の中にふつふつとたぎっている。

しかも人間五十年といわれた時代である。残された時間はそう多くないと感じるだけに、焦りは日に日に高まっていた。


出港して半時ばかりたつと、波が急に荒くなり、船が激しく上下に揺れ始めた。

「どうやら外海に出たようだな」

武之丞が反射的に目をさまし、もう甲板に出ても良かろうと立ち上がった。

船は観音崎の北の小口瀬戸を抜け、富山湾に出たところだった。海は一面の灰色で、波がしぶきを上げている。

北風が吹き付け身を切るような寒さだが、船底から解放された信春は胸を大きく開いて息を吸った。

はるか遠くに立山連峰の尾根がつらなっている。向こうは雨がふっていないようで、雲間から射す陽の光が尾根の雪を白く輝かせていた。

船は北から流れ込む海流に乗って、能登半島ぞいに南に下っていく。船足は思いがけないほど速く、氷見《ひみ》から魚津《うおづ》へつづく海岸線がみるみる近付いてきた。

「やはり、越中へ向かうのですかね」

信春の不安はさらに大きくなった。

「見ての通りだ。向こうに着けば、酒にも風呂にもありつける」

武之丞は前方をながめたまま、両手を突き上げてあくびをした。

船は正午過ぎに岩瀬に着き、人足に引かれて神通川《じんずうがわ》をさかのぼった。

立山連峰を間近に見ながら五里ほど進み、笹津《ささづ》に着く。ここで塩を馬の背につけかえて飛驒街道を南に向かう。

これが飛驒、高山方面に海産物をはこぶ要路で、別名ぶり街道とも呼ばれていた。

信春と武之丞は馬借《ばしやく》の一行にまぎれて南へ向かった。すでに雨が上がり薄日がさしている。だが雪をいただいた山から吹き下ろす風は冷たく、信春は蓑をまとって寒さをしのぎながら歩きつづけた。

武之丞がどこへ行こうとしているのか皆目見当がつかない。この先は山ばかりなので、都に伝《つて》がある有力者がいるとも思えないが、武之丞にくどいと怒鳴られるのも業腹《ごうはら》なので何もたずねようとしなかった。

しばらく行くと川は急に狭くなり、両側の岸が鋭く切り立っていた。神通峡と呼ばれる難所で、道は絶壁の中腹をぬってつづいていた。

馬がようやく通れるほどの道幅しかなく、片側は断崖になっている。馬借たちは馬が足を踏みはずさないように鼻面をとって用心深く進んでいった。

それでも転落事故が後をたたないようで、道の所々に愛馬の冥福を祈る馬頭観音《ばとうかんのん》が祀られてい

る。それが後につづく者に危険を知らせる標識の役目もはたしていた。

信春は道から身を乗り出して下をのぞいてみた。崖は息を呑むほど高く、下に吸い込まれそうである。川は深い緑色にそまり、蛇行しながら流れている。

恐ろしさに身をすくめて後ずさりしていると、いきなり蓑を引っ張られ、後ろに倒れそうになった。

誰の仕業かとふり返ると、腹をへらした馬が蓑の藁《わら》を引きちぎって食べようとしている。

暴れでもしたら大変だと、信春はあわてて蓑を脱いで馬に与えた。

「そんな所に立つからだ。突き落とされても、誰にも文句は言えんぞ」

武之丞は愉快そうに笑い、竹筒の水を旨そうに飲みほした。

神通峡を抜けると楡原《にれはら》村があった。

川の西側に平地が広がり、二百戸ばかりの家がひしと固まって集落をなしている。街道から西にはずれた山際の高台には、大きな檜皮《ひわだ》ぶきの屋根がそびえていた。

楡原から八尾《やつお》にかけての一帯を支配する斎藤藤次郎の城館である。東の大手口には泥田を配して敵の侵入をふせぎ、他の三方には深い堀をめぐらしていた。

城館の背後の尾根には大乗悟山《だいじょうごさん》城をきずき、八尾との連絡を保てるようにしている。南には楡原山城を配し、神通川上流の庵谷《いおりだに》や猪谷《いのたに》への通路を確保していた。

「さあ着いた。この城に我らの主《あるじ》がおわすのじゃ」

大手口の城門で用件を告げると、警固の武士の詰所である遠侍《とおさぶらい》に案内された。しかも紺色の

熨斗目《のしめ》と烏帽子《えぼし》が用意してあり、湯に入ってこれに着替えよという。

武之丞は手ぬぐいを受け取って満足気に湯屋に向かったが、信春には解せないことばかりだった。

「これからどなたに会うのです。主とはどなたのことでしょうか」

湯屋の戸を閉めるなり声をひそめてたずねた。

「我らの主は畠山修理大夫《はたけやましゅりのだいぶ》さまじゃ。あのお方以外におられぬ」

「修理大夫さまとは、義綱《よしつな》公のことでございますか」

「そうじゃ。斎藤藤次郎どののご支援を得て、七尾城への復帰をめざしておられる」

武之丞は汗と汚れを洗い流して湯船に入り、いかにも心地良さそうに大きな息を吐いた。

「しかし兄上は、義綱公を見限って七尾にもどって来られたのではありませんか」

「人の目をあざむくために、そう言ったまでじゃ。このわしが大恩ある畠山家を裏切るはずがあるまい」

信春が生まれた奥村家は、代々畠山家に仕えてきた。

父文之丞《ぶんのじょう》宗道《むねみち》は納戸役組頭をつとめた中堅の家臣で、その役職は長兄武之丞が引き継いだ。

下の三人の兄は分家したり他の武家に養子に行ったりしたが、末っ子の信春だけは十一歳の時に染物屋の長谷川家に養子に出された。

信春の絵の才能を見込んだ長谷川宗清が、娘の静子の婿にして家を継がせたいと、文之丞に懇願したからである。

それ以後二十二年間、信春は宗清を師として染物屋の仕事を学びつつ、絵仏師の修行に打ち込んできた。

約束通り静子とも縁組みし、三年前には長男の久蔵をさずかった。

一方、実家の奥村家は没落の一途をたどった。畠山家の内紛が激化し、城主である義続《よしつぐ》、義綱父子が追放されたからである。

畠山家では所領の領有権をめぐって長らく義続、義綱と、七人衆と呼ばれる温井《ぬくい》、遊佐《ゆさ》、長《ちょう》らの重臣たちが対立をつづけていた。

年若い義綱はこうした状況を打解しようと、十六年前の弘治《こうじ》元年（一五五五）に重臣筆頭の温井紹春《じょうしゅん》を謀殺し、権力の掌握をはかろうとした。

ところが強引なやり方に重臣たちが反発し、五年前に父子そろって城を追われた。

この時奥村文之丞と武之丞は主君を守ろうと奮戦したが、文之丞はあえなく討死し、武之丞は義綱らとともに能登から脱出した。

初め一行は義綱の妻の父である六角承禎《ろっかくじょうてい》を頼った。ところが承禎も重臣たちとの対立に悩まされ、観音寺騒動を引き起こしたばかりで、一行を庇護するほどの余力はなかった。

そこで洛中の畠山邸に身を寄せ、室町幕府の裁定によって領国復帰をはかろうとしたが、十三代将軍足利義輝《あしかがよしてる》が松永久秀《まつながひさひで》らに謀殺された直後で、幕府も混乱をきわめていた。

義続と義綱は自力で能登を奪回しようと、武之丞らを帰国させて国許の政情をさぐらせた。武之丞は同行していた家臣たちをつれて七尾にもどり、七人衆の一人である長続連《つぐつら》の家臣になった。

そうして表では七人衆への服従をよそおい、裏ではひそかに義綱らの復帰工作をつづけていたのである。

「修理大夫さまがこの城に入られたのは三年前、ちょうどそちの息子が生まれた頃だ。越後の長《なが》尾景虎《おかげとら》どのの支援を受け、椎名康胤《しいなやすたね》どのや神保長職《じんぼうながもと》どのを身方にして七尾に兵を進められる手筈であった。ところが土壇場になって椎名が寝返ったために、挙兵を見送らざるを得なくなった」

畠山家はかつて越中守護をつとめていたことがあり、長尾景虎（上杉謙信《うえすぎけんしん》）とは良好な関係を保ってきた。そこで越後に近い楡原に居を移し、景虎と越中の有力者たちを身方にして、七尾城を奪い返そうとしていたのだった。

信春は武之丞から少しはなれて湯船につかっていた。

寒さに耐えて長旅をしてきた身には、温かい風呂は何よりの馳走である。初めは心地良さに陶然としていたが、話を聞くうちに緊張に体が強張ってきた。

事はあまりに重大である。こんなことに巻き込まれたならただではすまないと、深く考えもせずに武之丞に付いてきたうかつさを後悔していた。

「それ以来修理大夫さまはこの山城にひそみ、じっと好機を待っておられた。そうしてようやくその時が来たのじゃ」

武之丞は信春の両肩をがっしりとつかみ、越後の長尾ばかりか越前の朝倉義景《あさくらよしかげ》も支援してくれることになったと語った。

「我らはかねがね、朝倉家にも支援を求めてきた。その甲斐あって、修理大夫さまが朝倉家に従

うと誓われるなら力を貸すと、義景公がおおせられたのじゃ」

「そのことと今度のことが、何か関係があるのでしょうか」

「その通りじゃ。修理大夫さまの起請文をたずさえて、一乗谷《いちじょうだに》まで行ってもらいたい」

これまで日蓮宗の僧に頼んで朝倉家と連絡をとってきた。ところが七尾城の七人衆がそのことに気付き、加賀の一向《いっこう》一揆と協力して関所の警戒を厳重にしている。

そこで信春に、畠山義綱の起請文をとどけてもらいたいというのである。

「そちは一乗谷にたびたび出向き、曾我《そが》家で絵の修行をしてきた。それゆえ今度も曾我家を訪ねると言えば、疑う者はおるまい」

「それには手形が必要です。そう簡単には参りませぬ」

「手形ぐらい我らが何とかする。案ずるにはおよばぬ」

「しかし……、しかし私は長谷川家の人間です。養家に迷惑をかけるわけにはいきません」

万一事が露見したなら、信春が処罰されるだけではすまない。養父母や妻子にまで累がおよび、長谷川家が取り潰されることにもなりかねなかった。

「確かに今は長谷川家の人間かもしれぬ。だがこの体には、奥村家の血が流れておる」

武之丞は信春の目を見すえ、肩においた手に力を込めた。

「父上は修理大夫さまに忠義をつくし、身を挺して守り抜かれた。弁慶の立ち往生にも勝る見事な最期であったとは、そちとて聞いたであろう」

「うかがいましたが、私は十一の歳に長谷川家に養子に出されました。今は染物屋として生きて

おります」

「どんな生き方をしていようと、武士の魂が消えるものではない。亡き父の志をつぐのは、子としての務めではないか」

武之丞に高飛車に迫られ、信春は黙り込んだ。

幼い頃から長兄に逆らってはならぬと躾《しつけ》られたので、不満があっても口にできないのだった。

「しかもこの話は、わしが能登守さまに申し出てお許しをいただいたのじゃ。そちが都に出る名分がほしいと言ったゆえ、無理を承知でお願いしたのだぞ」

「確かにそのような話をいたしましたが、あれは酒の席のことゆえ」

酔いにまどわされて、思わず口をすべらせたのである。それをこの兄は巧妙に利用し、自分の手柄にするために義綱に進言したにちがいなかった。

「酔おうが酔うまいが、都に出て絵の修行に打ち込みたいという本心に変わりはあるまい。その思いを修理大夫さまに伝えたところ、この仕事をやりおおせたなら、都での暮らしは畠山家で面倒をみるとおおせられた。苦境に立たされているとはいえ、畠山家は今でも幕府の管領家《かんれいけ》だ。その後押しがあれば、幕府にも朝廷にも大手をふって出入りできる。これ以上の大義名分はあるまい」

「私が大義名分と申し上げたのは、養父母や妻を説得する口実がほしかったのです。こんな大事になるとは思っていませんでした」

「すでに修理大夫さまのご了解を得てあるのじゃ。今さらそんな理屈が通るか。そちがどうあっ

ても引き受けぬと言うなら、わしはこの腹をかっさばいて殿に詫びねばならぬ」

武之丞は急に立ち上がり、剛毛におおわれた腹をぴしゃぴしゃと叩いた。

これでは罠にはめられたも同然だと思いながらも、信春は拒み抜くことができなかった。兄に逆らえないからだけではない。畠山家の支援が得られるなら、権門の屋敷に出入りして秘蔵の名画を目にする機会も多くなると思ったのだった。

二人は用意された熨斗目に着替え、広々とした対面所に入った。緊張に身を固くしてしばらく待っていると、畠山義続、義綱父子がそろって上段の間に入ってきた。

義続は五十代半ばで恰幅《かっぷく》がいい。丸い顔に八の字ひげともみ上げをたくわえた堂々たる押し出しで、二引両《ふたつひきりょう》の家紋の入った脇差しをたばさんでいる。

義綱は三十代後半とおぼしく、やせて頬がこけた神経質そうな顔立ちをしていた。

「ご尊顔を拝したてまつり、恐悦に存じます。こちらに控えおりますのが、弟の又四郎信春めにございます」

武之丞がかしこまって平伏した。

「又四郎、面《おもて》を上げよ」

義続が気さくに声をかけ、そちが描いた絵を見たことがあると言った。

「有難き幸せに存じます。七尾の寺に納めた仏画でございましょうか」

信春は勇気をふりしぼって応じた。

「そうではない。越中金山谷《かなやまだに》の本顕寺《ほんけんじ》にある本尊曼荼羅《まんだら》じゃ。覚えがあろう」

「たしかに、三年前に本顕寺に納めさせていただきました」

「余があれを奉納した。そちが描いてくれた悳祐《とくゆう》と兆桂《ちょうけい》は、我ら夫婦の法名じゃ」

「さ、さようでございましたか」

三年前の永禄《えいろく》十一年（一五六八）、越中新川郡金山谷の本顕寺から依頼されて法華経本尊曼荼羅図を描いたが、施主が誰かは知らされていなかった。

「あれは七尾城への復帰を願って納めたものゆえ、名を明かすのをはばかったのじゃ。しかし住職には、何としてでもそちに頼むように申し付けた。その理由が分るか」

「恐れながら、分りかねまする」

「そちが気多大社《けたたいしゃ》に納めた十二天像を見たからじゃ。あれを見たとたん、余はその場に釘付けになった。あまりの迫力に震えが止まらなかった。しかもこれを描いたのが、我ら父子を助けるために討死した奥村文之丞の息子だと聞き、本尊図を頼むのはそちしかおらぬと思ったのじゃ」

「かたじけないお言葉、恐れ入りたてまつります」

「ここに来て、手を見せよ」

そう言われたが、信春はあまりのことに身動きできなかった。

「大殿さまのおおせじゃ。疾《と》くお見せ申し上げよ」

武之丞にうながされ、信春は御前に進んで両手をさし出した。

義続はいきなり右手をつかみ、袖をまくり上げた。

「なるほど、よい腕をしておる。強くてしなやかな肉付きじゃ」

それゆえあれほど見事な線が描けるのだと、ほれぼれと腕をさすった。

「剣や槍をとってもひと角の働きをする腕だ。幼い頃は武術にも励んでいたであろう」

「昼夜となく、父や兄に仕込まれておりました」

「その修行が絵に活《い》きておる。武人の気迫がなければ、あのような十二天像は描けぬ」

都での暮らしが長い義続は、絵についても並々ならぬ眼力を持っていた。

「過分のお言葉、かたじけのうございます」

信春は腕をさらすことに耐えきれなくなり、一間《いっけん》ばかりも後ずさって平伏した。

「時に、一乗谷への使いの件じゃが」

了解してくれたであろうなと、義続が武之丞を見やった。

「無論承知いたしております。お館《やかた》さまのお役に立てるなら、これに過ぐる歓びはないと申しております」

信春に物を言う間を与えまいと、武之丞が口早に答えた。

「又四郎、相違ないな」

義続が念を押した。

口ぶりは優しいが、眼光は鋭い。畠山家の命運をかけた使いゆえ、命を賭ける覚悟がなければ務まらぬと、その目が語っていた。

信春は義続に腕をとられ、絵師として認めてもらったことに感極まっている。しかも武人でなければ描けぬ絵だと言われ、後ろを見せるわけにはいかない気持になっていた。

「一乗谷の曾我家には、これまで何度も訪ねたことがございます。通いなれた道ゆえ、ご懸念には及びませせぬ」

「さようか。そちの忠節は決して無にはいたさぬ。いっそう研鑽にはげみ、曾我蛇足《じやそく》に劣らぬ絵師になってくれ」

「父上、それがしはこれで」

義綱が苦しげに顔をゆがめて席を立った。

能登を追放される直前に七人衆の手の者に毒をもられ、今も後遺症に苦しんでいる。

それだけに七尾城奪回にかける執念はすさまじく、病《やまい》をおして楡原村に居を移したが、近頃では病状がいっそう悪化しつつある。

それを案じた義続は、近臣をつれて都から応援に駆けつけ、守護時代の人脈を活かして長尾と朝倉の支援を取り付けようとしていたのだった。

「門出の盃《さかずき》をとらす。これ」

義続が高々と手を打つと、三人の侍女が酒肴をのせた折敷をはこんできた。

その後から朱塗りの柄杓を持って入ってきたのは、義綱の娘夕姫《ゆうひめ》だった。六角義賢（承禎）の娘を母として生まれ、今は京都の三条西家に嫁いでいる。

幼い頃から都でも評判になるほどの美しさで、和歌や物語にも通じた才媛である。

肌の色は透き通るように白く、背中までたらした髪は黒々と豊かである。

若草色の打掛けをまとい柄杓をささげて歩く姿は、源氏絵巻の一場面でも見るような気品に満

ちていた。

信春は魅入られたように茫然と夕姫の姿を追い、不作法に気付いてあわてて目を伏せた。

この世でも絵画の中でも、これほど心をときめかせる女性に出会ったことがない。今すぐ筆をとってつぶさに描きたいほどだった。

「年寄りの長旅は不自由であろうと、わざわざ供をしてくれたのじゃ。端午の節句までには三条西家にもどるゆえ、そちが都に出た時には夕姫を頼るがよい」

それに大徳寺《だいとくじ》の興臨院《こうりんいん》は父義総《よしふさ》が開いた塔頭《たっちゅう》だし、東福寺《とうふくじ》の栗棘庵《りつきょくあん》ともゆかりが深いので、何かと力になってくれるであろう。義続は事もなげに言って盃を回した。

「その日を楽しみにしております。天下一の絵師になって、畠山の名をあげて下さいね」

夕姫が澄んだ瞳をまっすぐに向け、体を寄せて酌をした。

信春は着物にたきしめた涼やかな香りと、黒髪から立ちのぼる女の匂いに心を奪われ、強い酒に酔ったようにぼうっとなって盃をさし出した。

「実は、わたくしもあなたの絵を見たことがあるのですよ」

「どちらのお寺に納めたものでしょうか」

「仏様の絵ではありません。キリコの武者絵です」

能登の夏秋の祭礼では、角型の切子灯籠を御輿《みこし》巡行の先導役としてかつぎ回る。

表面に色鮮やかな絵を描き、中にろうそくを灯して闇の中で浮かび上がるようにした豪勢なもので、どの村でも絵の上手に依頼して描いてもらう。

信春は幼い頃から絵がうまいと評判で、長谷川家に養子に入って二、三年もすると、近くの村からキリコの絵を頼まれるくらいに上達したのだった。

「ど、どこに描いた武者絵でしょうか」

信春は喉がカラカラになり、盃の酒を一気に飲みほした。

「神明《しんめい》神社です。義経と弁慶でしたが、弁慶のほうがずっと見事に描けていました」

「あれは二十歳《はたち》の頃の絵です。弁慶の七つ道具を描くのに苦労しました」

「そうそう。その道具が背中で扇のように広がって、後光がさしているようでした。それが武士の心の救いを表しているように思えて、誰が描いたのか侍女に確かめさせたのですよ」

その頃、夕姫はまだ七つか八つだったはずである。それなのに信春の意図を的確につかみ、名前まで覚えていたのだった。

「ご明察、かたじけのうございます」

信春は義続に誉められた時とはちがった温かい思いに包まれ、ぎこちない手で二杯目の酒を受けた。

前々から噂は聞いていた。五年前に夕姫が三条西家に輿入《こしい》れする時に、花嫁行列を見に行ったこともある。だが都の水に洗われた夕姫は、その頃よりはるかに美しくなっていた。

(これから天女を描く時は、かならずこのお方を思い出すだろう)

信春はそんな予感にとらわれながら、夕姫の存在を全身で感じていた。

その夜は楡原館に泊り、翌朝武之丞に送られて笹津まで出た。

「わしは今しばらく用事がある。修理大夫さまから起請文をいただいたなら、道中手形とともそちにとどける」

それまでは常と変わらぬ暮らしをしておれと、武之丞が竹の皮に包んだにぎり飯を差し出した。

信春は複雑な思いでそれを受け取り、河口の港へ向かう荷船に乗り込んだ。


七尾にもどったのは未《ひつじ》の刻、午後二時頃だった。

町の南に連なる尾根には、畠山家の七尾城が威容をほこっている。山の中腹に本丸、二の丸、三の丸が階段状につづき、美しく積み上げられた高石垣が遠目にも鮮やかである。

本丸からふもとにつづく尾根を大手道がつらぬき、道の両側に重臣たちの屋敷が並んでいる。山裾に畠山家の常の居館があり、妙国寺《みょうこくじ》や大念寺《だいねんじ》が守護するように寄りそっている。その下に城下町が広がり、土塀と水堀を組み合わせた総構えで守られていた。

信春は船から降り、放心したように城をながめた。

今まではここから城を見上げると懐しさと誇らしさに自然と頭が下がったが、今日はまったく違う。敵の本拠地に踏み込む緊張に足がすくむほどだった。

(帰参以来、兄上はこんな思いで過ごして来られたのだ)

信春は初めてそのことに気付き、丹田《たんでん》に力を込めて足を踏み出した。

家にもどると、いつものように静子が出迎えた。

「お帰りなさい。お目当ての道具はありましたか」

掃除をしていたらしく、たすきをかけて箒を持ったままだった。

「いいや。紙も絵具もまがいものだ。やはり都に買い付けにいかないと駄目だな」

信春は妙に力んで、本物は都にしかないと強調した。

「予感が当たりましたね」

「何が」

「蓑と笠。おっしゃっていた通り雨が上がったではありませんか」

「そうだな。この季節にはよくあることだ」

早々に話を切り上げて離れの仕事場に入った。

静子は献身的な妻である。信春の才能を信じ、いい仕事ができるように濃《こま》やかに気を遣ってくれる。下ぶくれのおだやかな顔立ちをして、いつも遠慮がちにほほ笑んでいるが、芯の強いしっかりとした気性の持ち主である。

料理もうまいし、家事や育児も骨惜しみすることなく黙々とこなしている。これまで不満を感じたことは一度もないが、今日は妙にうとましかった。

夕姫の華やかさに圧倒されたせいである。あのまぶしいばかりの輝きに触れた後では、静子の何もかもが田舎臭く感じられた。

(馬鹿な。何を考えているんだ、お前は)

信春は心にかかる迷いの雲をふり払おうと仕事にかかった。

越中富山の妙伝寺《みょうでんじ》から、鬼子母神《きしもじん》十羅刹女像《じゅうらせつにょぞう》を描くように頼まれていた。

鬼子母神は幼児を奪って食い殺す夜叉《やしゃ》だったが、仏に教化されて子授け、安産、子育ての守り神となった。

しかも『法華経』の中に、鬼子母神が十羅刹女とともに法華経を信じる人々を守ると誓ったと記されているので、法華宗の寺院で守護神として祀られるようになったのだった。

信春はこれまで何度もこの絵を描き、越中や能登の寺に納めている。その多くが赤子を抱いた鬼子母神を画面の右上に描き、左上に散脂大将《さんじたいしょう》を対置させ、その下に十羅刹女を配したものだ。

女神の顔はいずれも下ぶくれで、静子の顔によく似ている。信春が描く仏画の中ではもっとも人気の高いものだが、近頃は同じ図柄をくり返すことに疑問を感じていた。

同じ画題を描くにしても、一作ごとに精進の跡が見られなければ絵師とはいえない。そう思って新しい構図に取り組んでいたが、なかなかいい下絵が描けなかった。

信春は昨日までの描きかけに手を入れようと木筆《もくひつ》をとったが、邪念や雑念にとらわれて集中することができなかった。

心も腕も縛られて筆を止め、窓の外に目をやった。陽は西に傾き、あたりは暮れかかっている。庭の境に植えた松の木が、くもり空を背にして影のように枝を伸ばしていた。

信春はふと例の絵を思い出し、文机の引き出しを開けてみた。

鳥の子紙に描いた山水図である。大きな岩の後ろに松の木が枝を広げ、その下で子供を抱いた母親と鍬《くわ》を持った男が立ちつくしていた。

狩野永徳が描いた「二十四孝図屏風《にじゅうしこうずびょうぶ》」の郭巨《かくきょ》の場面である。

老いた母が貧しい家計を救おうと減食するのを見た郭巨は、口減らしのために我が子を埋めようと穴を掘った。すると黄金が出て「天、孝子郭巨に賜《たま》う」と記されていた、という故事にもとづいたものだ。

昨年の夏、信春は画材を仕入れるために上洛し、画商の口ききで聖護院《しょうごいん》におさめられたこの屏風を見た。

狩野永徳の作で、わずか二十四歳の若さで六曲一双の大作を完成させたという。

二十四孝の故事を左右の屏風に六場面ずつ描いたものだが、信春は郭巨を描いたこの部分に目を奪われた。

荒々しい肌を見せて突っ立つ岩。太い幹を左右にくねらせながらそびえる老松《おいまつ》と、地面に向かって稲妻形に伸びる枝。

その下で黄金を掘り当てた郭巨夫妻が、天の恵みに頭《こうべ》をたれて静かにたたずんでいる。

筆遣いや構図の見事さもさることながら、信春は画面にあふれる勢いとはつらつとした気品に心を打たれた。

ここに新しい時代を切り拓こうとする天才がいる。狩野派という名門の血を受け継ぎながら、それにとらわれることなく楽々と越えていく力量の持ち主がいる。

信春は誰よりも鋭くそのことを感じ取り、雷に打たれたように屏風の前に立ちつくした。体が総毛立ち、小刻みに震えた。おそらく涙も浮かべていたはずである。

こんな絵師がこの世にいることへの感動と畏敬。そして足許にも及ばぬ自分への慚愧《ざんき》の涙だっ

た。

（ああ、私は今まで何をしてきたのだ）

信春は絵の世界の厳しさと奥深さを突き付けられ、心の中を冷たい風が吹き抜けていくような無力感にとらわれた。

長谷川家でつちかった絵の力量、北陸地方で博した絵仏師としての名声など、永徳の絵の前では跡形もなく吹き飛び、でくの棒のように茫然《ぼうぜん》と突っ立っていた。

その衝撃が去った後に、負けてたまるかという猛烈な競争心がわき上がってきた。

信春は表面的にはおとなしくおだやかだが、心の内には踏み固められた根雪のような強情を抱《かか》えている。武家から染物屋に養子に出された時に、失格者の烙印《らくいん》を押されたような屈辱を味わっただけに、絵だけは誰にも負けたくないという思いは人一倍強かった。

（このままでは駄目だ。都に出て一から修行をやり直さなければ）

信春は、いつか必ず永徳に負けない絵師になると心に決め、家族に隠れて永徳が描いた郭巨の図の模写に取り組んでいたのだった。

「あなた、夕餉の仕度ができました」

静子が声をかけてふすまを開けた。

仕事の邪魔をするまいといつもそうした気遣いをしているが、模写に夢中になった信春は気付かなかった。それゆえ悪さの現場に踏み込まれた子供のように、あわてて文机の絵を体で隠した。

「夕餉の仕度ができました。父や母も待っております」

静子はふっと淋しげな顔をしたが、何も気付かないふりをして母屋の居間に下がった。

居間には大きな囲炉裏があり、養父の宗清と養母のお相《そう》が席についていた。息子の久蔵は宗清の膝で甘えていたが、信春を見るとあわてて自分の席についた。

信春は今年から上座に座るようになった。長谷川家の当主はお前だと、宗清が二十年間占めてきた席をゆずったのである。

今夜の馳走は桜鯛の焼き物だった。

産卵期が近づくと、真鯛は桜色になるのでこの名がある。七尾の春の名物料理で、これが出ると長い冬がようやく終ったと実感するのだった。

「道具を仕入れに、関野に行ったと聞いたが」

宗清が頬のふくらんだおだやかな顔を向け、鉄瓶からとっくりを抜いて酒を勧めた。

北陸では名を知られた絵仏師で、信春の師匠である。絵が優しく仕事ぶりがていねいなので、今でも宗清に描いてほしいと指名してくる寺が多かった。

「たいした物もなかったので、のぞいただけで帰って参りました」

信春はあいまいなことを言って盃を受けた。

関野の画材屋は宗清も知っているので、行っていないことが後で知られたらまずいと思ったのである。

「近頃はなかなかいい絵具が手に入らぬ。都の戦がおさまらぬからであろう」

「織田《おだ》は浅井《あざい》、朝倉と和を結んだとうかがいましたが」

「あれは一時の方便だという噂じゃ。浅井、朝倉の軍勢が比叡山に立てこもったために、織田も和を結ぶしか打つ手がなくなっただけで、とてもこのままではおさまるまい。本延寺《ほんねんじ》の日便《にちべん》和尚がそう話しておられた」

本延寺は奥村家の菩提寺《ぼだいじ》だが、宗清も親しく出入りしている。和尚は京都の本法寺《ほんぼうじ》から来た人なので、今でも密接に連絡を取り合って都の情報を仕入れていた。

「帝の勅命に従い、公方さま立ち会いのもとに和議《わぎ》を結んだと聞きました。それを破ることなどできましょうか」

「織田は尾張下四郡の奉行の家から身を起こし、下克上《げこくじょう》の末に今の地位をきずいたそうじゃ。朝廷や将軍家など歯牙にもかけておらぬらしい。なかなかひと筋縄ではいくまい」

三年前の永禄十一年（一五六八）、織田信長《のぶなが》は足利義昭《よしあき》を奉じて上洛をはたし、十五代将軍に擁立した。

これで幕府が再び力を取りもどし、旧来の秩序が回復するだろうと誰もが期待したが、平和は長くつづかなかった。

年号が元亀《げんき》と改められた昨年、信長は朝倉義景が上洛の命令に背いたという理由で越前討伐の軍勢を起こした。

これに反発した浅井長政《ながまさ》が小谷城で挙兵し、信長の退路を断とうとしたが、信長は若狭から湖西の道をたどって都まで逃げもどった。

そうして新たに陣容をととのえ、姉川の戦いで浅井、朝倉の連合軍を打ち破ったのである。

ところが浅井、朝倉は屈しなかった。

この年九月には信長が三好《みよし》三人衆を討つために摂津に出陣した隙をつき、南近江まで出陣して信長勢をはさみ討ちにしようとした。

信長は急いで軍勢を返し、近江坂本《さかもと》に布陣して撃退しようとしたが、正面から戦っては勝ち目がないと見た浅井、朝倉勢は、比叡山に立てこもって持久戦に持ち込んだ。

摂津では石山《いしやま》本願寺と一向一揆も反信長の兵を挙げている。近江の浅井、朝倉勢には、観音寺城を追われて甲賀に潜伏していた六角承禎も加わり、南北からじわじわと信長を追い詰めて壊滅させようとした。

窮地におちいった信長は、正親町《おおぎまち》天皇に勅命を出してもらい、将軍義昭を立ち会い人として浅井、朝倉、六角との和睦にこぎつけ、絶体絶命の危機をしのいだ。

だが信長には初めから和議の誓約を守る意志などなく、対立の火種は、この年元亀二年（一五七一）の正月頃からくすぶり始めていた。

「次に戦が起こるとすれば、どうなるとお考えですか」

信春は宗清に教えを乞うた。

「織田はまず北近江を攻めよう。そうなれば浅井と同盟している朝倉は、援軍を出さざるを得なくなる。互いの生き残りをかけた惨《むご》い戦になるかもしれぬ」

「朝倉家が亡《ほろ》ぶとおおせられますか」

信春は血の気が引く思いで盃をおいた。

朝倉家がそのような戦乱に巻き込まれるなら、上杉、朝倉の支援を得て能登を奪回しようという畠山義続らの計画は水の泡となる。そう思うと、酒が喉を通らなくなった。

「さあ、仕度ができましたよ」

湯気をあげる鍋を、静子が囲炉裏の五徳においた。

鍋にはだしを効かせたみそ汁が入っている。これに海藻をさっとくぐらせて食べるのである。

この時期、能登半島の外海ではカジメ、ギバサ、ダイズル、アオサ、ワカメなどの海藻がとれる。指がちぎれるような冷たい海で育った海藻が、春の訪れとともに食卓に並ぶようになったのだった。

「ところで、仕事の進み具合はどうだ」

宗清が湯気の向こうからたずねた。

鬼子母神十羅刹女像のことである。

「新しい趣向を取り入れたいのですが、なかなか思うようにいきません」

「新しいとは、どのような」

「鬼子母神のご威光を、もっと強く伝えられないかと考えております。しかし、大きく描けばいいというものではありませんので」

「それは信仰と表現が一体となった時に生まれるものだ。焦って作ろうとしてもうまくいくまい」

宗清は久蔵を膝に座らせ、鍋に海藻をくぐらせて食べさせていた。

初めて生まれた孫が可愛いくて仕方がないようで、箸につまんだアオサやワカメを口に入れてやるほどの溺愛ぶりだった。

「ところで妙伝寺《みょうでんじ》の和尚から、新しく仏涅槃《ねはん》図を描いてほしいと頼まれた。それも本堂の天井からかけるほど大きく、人の目を奪うほど華やかなものにしてほしいそうだ」

縦三間（約五・四メートル）ほどの大きなもので、とても二人では描ききれない。北陸中の絵仏師を集めた仕事になるだろうという。

「お前はどう思う。やってみたいか」

「仏画は細部に重きをおくべきで、大きければいいというものではないと思います」

信春は消極的だった。一乗谷への使いのことで頭が一杯で、他のことは考えられなかった。

「本堂を荘厳《しょうごん》するのだ。大きく美しいほど、御仏の教えの尊さを示すことができよう」

「一木一草にも御仏の心がやどっていると申します。近頃は、その姿をあますことなく写し取れるようになりたいと思うようになりました」

だから都に修行に出て、狩野永徳のような絵を描けるようになりたいのだ。

信春はそう叫びたかったが、宗清の前ではいつものように遠慮ばかりが先に立って、何も口にすることができなかった。

翌日から信春はいつもの暮らしにもどった。

卯《う》の刻、朝六時に目を覚まし、家族そろってご本尊の前でお題目をとなえる。軽めの朝食をとりながら宗清とその日の仕事の打ち合わせをした後、辰の中刻（午前九時）に離れの仕事場に入

る。

これは宗清の父無分《むぶん》の頃からつづく長谷川家の習慣である。人は常に一定の生活習慣を保たなければ、心技体は十全にははたらかない。絵仏師として長谷川家の基礎をきずいた無分は、そのことを体験的につかみ取って宗清に受け継がせた。

その継承者である信春は、十畳ばかりの板の間の仕事場に入ると、床の間にかかげた本尊曼荼羅の前で座禅を組んだ。

目を半眼にして呼吸をととのえ、大宇宙の高みで釈迦如来と多宝《たほう》如来が諸仏に法を説く姿を瞑想し、心が充分に静まってから筆をとる。

絵仏師の修行をはじめて以来くり返してきた儀式だが、この日も集中することができなかった。あんなことを引き受けて良かったのかという不安と恐れに、心が揺れつづけていた。

楡原で畠山義続に会った時には、主家のために力を尽くすのは奥村家に生まれた者の務めだと思った。武士らしい役目をはたすことに心の高ぶりさえ覚えた。

ところがこうして日常の生活にもどってみると、大変なことを引き受けてしまったという後悔ばかりがこみ上げてくる。

それに宗清が、やがて織田と朝倉の戦が起こると言ったことも気になっていた。信長との合戦が迫っているなら、朝倉家に能登まで兵を送る余力があるはずがない。

長尾と朝倉の支援を得て七尾城を奪回しようとしている義続らの計画も、頓挫《とんざ》するにちがいなかった。

（養父上《ちち》はすべてを知った上で、やめておけと釘をさされたのではないだろうか）

信春はふとそう思った。

宗清はそうした配慮ができる男である。商売や絵のことで誤った道に進みかけた時、何気ない言葉でさとしたことが何度もある。言われた時には分からなくても、後になって真の意味に気付く類《たぐい》の行き届いた忠告だった。

もしそうだとするなら、義続らの計画はすでに外にもれているということだ。温井や遊佐ら七人衆も、このことを知って警戒を厳重にしているはずだった。

（やはり、駄目だ）

背筋に寒気が走り、信春は木筆をぎゅっと握りしめた。

自分の都合ばかりを考えて、長谷川家を危険にさらすわけにはいかない。今からでも遅くないので、武之丞に会って断わろう。

頭ではそうするべきだと分っていたが、信春は動かなかった。この役目をはたしたなら、大手を振って都に出られるという望みを捨てきれなかった。

十日ばかりたっても、武之丞からの連絡はなかった。

仕事に集中できないままじりじりしながら待っているのに、使いの者さえよこさない。何か良からぬことがあったのではないかと、信春は次第に平静さを失っていった。

ささいなことが癇《かん》にさわり、つい大声で静子や久蔵を怒鳴りつける。久蔵がいつまでもむずかっていると、仕事の邪魔だからどこかにつれていけと言い放つことさえあった。

荒れ具合を見かねたのだろう。

「信春さん、ちょっといいですか」

お相が仕事部屋の戸口から遠慮がちに声をかけた。

「うちの人が話していた涅槃図のことですが、気が進まないなら断わってもいいですよ」

機嫌が悪いのは、嫌な仕事を押し付けられたせいではないかと案じていたのである。

「気が立っているのは、そのせいではありません。鬼子母神像がうまく描けなくて」

信春は言い訳のつもりで描きかけの下絵を見せた。

何度とり組んでも、鬼子母神十羅刹女像の新しい構図が思い浮かばない。やむなく前と同じものを描くことにしたが、気持がはなれているので生きた線を引くことができなかった。

「そうでしょうか。どの仏様も尊いお顔をしておられますよ」

だからあまり根を詰めないようにと、お相はやんわりと夫婦仲を気遣った。

やがて三月末になり、北陸の桜がいっせいに花開いた。

長谷川家の中庭の八重桜も、やわらかな春の陽射しをうけて薄紅色の重たげな花をつけている。長く伸びた枝が土蔵の白壁にかかり、花の色があざやかに浮き立っていた。

この桜は無分が都から持ち帰ったものだ。

絵仏師の修行をするために都に滞在していた頃、仙洞《せんとう》御所《ごしょ》の庭に咲いた八重桜の美しさに目を奪われた。そこで出入りの庭師をつきとめて桜の苗木を分けてもらい、土蔵の側に植えたのである。

「この桜はうちの宝だ。蔵の中の金銀より、こちらが大切だと思え」

無分は宗清にそう言い、年毎に桜の花を描いて技量をみがけと命じたという。

その桜が五十年の間にひと抱えもある大木になり、気品ある大ぶりの花をつけていた。

仕事部屋の窓から見上げると、空をおおった桜が今を盛りと妍《けん》をきそっている。信春は久々に描いてみる気になり、画帳と木筆を持って母屋の縁側に出た。

そこから見る桜が一番見事だと知っているからだが、すでに先客がいた。

久蔵が縁側のはしに座り、足をぶらぶらさせながら絵を描いていた。花と手元を交互に見ながら、おぼつかない手付きで木筆を使っている。

信春は足を忍ばせて背後に回り込み、肩ごしにのぞいた。

幹や枝には目もくれず、花だけをいくつも描いている。しかしよく見ると、一本の枝の先に密集している花を写し取ろうとしているのだった。

「そんな描き方を、誰に教えてもらった」

信春はふっとやさしい気持になり、久蔵の肩に手をおいた。

「おじいちゃん」

久蔵がそり返って上を見た。

乳臭い子供の匂いが立ちのぼった。

「ここから描けと、おじいちゃんに言われたのか」

「ちがうよ。ここが好きなんだ」

久蔵は桜が一番美しく見える位置を直感的にさがし当てている。そのことに信春は血のつながりの強さを感じ、膝に抱き上げて花の描き方を教えはじめた。

「まず全体の形をとらえて、次に内側から外に向かって花びらを重ねていくんだ」

久蔵は要領をすぐに呑み込み、生き生きと木筆を走らせる。ぴたりと触れた背中から体の温みと筋肉の動きが伝わって、信春は久々に父親らしい幸せにひたっていた。


四月早々に異変が起こった。城下のはずれで二人の遺体が見つかったのである。

「何日か前に難にあったようですが、船小屋に押し込まれていたので今日まで見つからなかったそうです」

店の者が興奮した口調で語るのを聞くと、信春は履き物をつっかけて表に飛び出した。

(もしや、兄ではないか)

不吉な胸さわぎに耐えながら城下の西を流れる桜川まで走ると、大勢の野次馬が集まっていた。向こう岸にある船小屋を、十五人ばかりの武士が取り巻いて取り調べにあたっている。二つの遺体はあお向けにして河原に横たえてあった。

一人は武士、一人は僧である。旅装束のようだが、野次馬が邪魔になってはっきりとは分からなかった。

「ちょっと、ちょっとご無礼いたします」

信春は人をかき分けて川のほとりまで進んだ。

もしこれが武之丞らの計画に関わりがあるのなら、姿をさらせば役人たちから目をつけられる。そうと知りながら、信春はじっとしていられなかった。

一番前に出ると、向こうの様子がはっきりと見えた。武士の遺体には首がない。大量の出血のために体がしぼみ、着物だけが抜け殻のように地面をおおっている。

僧の方は左の肩から腰のあたりまで、袈裟《けさ》懸けに斬り下げられていた。

「いったい何があったのでしょうか」

信春は荷物を背負った行商人風の男に声をかけた。

「さあね。私も通りかかったばかりだから」

詳しいことは分らないと、相手は足早に去っていった。

信春は反応の冷たさに身をすくめ、思わずあたりを見回した。

誰もが口を閉ざしたまま冷たい目をしている。余計なことを言えばどんな災難がふりかかるか分らないと、心の内で身構えていた。

これは七人衆の強権政治がもたらしたものだ。五年前に畠山父子を七尾城から追放した彼らは、父子を支持する旧勢力の批判を封じ込めるために徹底した弾圧策をとった。

自派に反対する家臣の役職や俸禄《ほうろく》を奪ったばかりか、批判した者は容赦なく捕えて厳罰に処した。獄中で殺された者や闇討ちにあった者も少なくない。

監視の目は家臣ばかりか領民にもおよび、密偵を放って取り締まりにあたらせた。酒の席で七人衆の悪口を言っただけで、翌日追放処分になった者もいた。

近頃では七人衆の治政も安定し、取り締まりもゆるやかになったが、その頃の記憶はまだ生々しく残っている。

ましてや二人は闇討ちとおぼしい殺され方をしているので、再び冬の時代にもどるのではないかと、誰もがひときわ用心深くなっていた。

信春はふいに寒気をおぼえた。

心配のあまり熱に浮かされたように川のほとりまで出たものの、冷静になってみれば皆が不審の目を向けていることがよく分る。動かぬ目で見張っている者もいるようである。

一刻も早くこの場を離れなければ、いきなり取り押さえられそうな不穏な気配があった。

信春は自分のうかつさを悔やみながら、行商人風の男を追うふりをして群衆から抜け出した。

（愚かな。何をしているんだ私は）

信春は手厳しく自分を責めたが、これがもって生まれた性分だった。

異常な事件や異様な物に接すると、近寄らずにはいられない。いの一番に見物に飛び出し、正体を見極めようとする。異常さや異様さの中に、人間の本質を見ようとする絵師の性《さが》がそうさせるのだろう。

そのために手痛い失敗をしたことが何度もあるが、似たようなことがあるとやはり駆け出してしまうのだった。

（いかん。今度ばかりは訳がちがう）

やはりこの役目は断わるべきだと己れに言いきかせ、信春は家路を急いだ。

家にもどると、仕事部屋に直行した。武之丞に断わりの文を書こうと筆をとり、呼吸をととのえて考えをまとめた。

始まりは酔ったはずみに、絵の修行に都に出たいと武之丞に打ち明けたことだ。しかしこれは本心ではない。酒の酔いにそそのかされて、欲心を押さえきれなくなったのである。

その後も武之丞の強引さに引きずられ、あのような役目を引き受けてしまったが、心にそなわった真実を見極める目が、こんな方法で都に出るべきではないと教えている。

今はその声に従うべきだと思う。無理をしてでもこの機会をつかみたい気持はあるが、迷いはすなわち無明《むみょう》なりとは日蓮上人も教えておられることだ。

(それゆえ、この役目は断わるのだ)

信春は思考の道筋を立て、武之丞に何と言われても動じない手応えを得てから文を書き始めた。

間もなく、店の者が立て文をとどけに来た。

「これを若旦那に渡してほしいと、行商の方が置いていかれました」

表書きもない文を開くと、「花祭りの参籠《さんろう》の夜、本延寺にて」とだけ記されていた。太く角張った書体は、まぎれもなく武之丞のものだった。

「行商の方とは、どこの人だ」

「分りません。おたずねしたのですが、頼まれただけだと言って立ち去られましたので」

「店には誰かいるか」

「染め上がった反物をとどけに、皆出払っております」

お断わりすべきだったでしょうかと、年若い手代は消え入りたげだった。

「付け文だ。この年になって、こんなものをもらうとは思わなかった」

信春は機転をきかせて立て文を破り捨て、このことは誰にも言うなと釘をさした。

花祭りとは四月八日の灌仏会《かんぶつえ》のことである。その前夜から参籠して釈迦の誕生を祝うのが、本延寺の年中行事だった。

本延寺は奥村家の菩提寺である。信春や武之丞が参籠しても誰にも怪しまれない。そこで落ち合って畠山義綱が朝倉義景にあてた起請文と、一乗谷までの道中手形を渡すつもりだ。

信春はそう察し、それなら直接会って断わったほうがいいと思い直した。楡原村まで出かけていって引き受けたことを、書状だけで断わるのは信義にもとる気がした。

（あの兄のことだ。文など受け取っておらぬと言いかねぬ）

本人の目を見てきっぱりと断わり、もう意のままにはならないと言ってやろう。

信春はそう決意して書きかけの文を仕舞ったが、兄に会ったならこの間のように何も言えなくなるという予感を、ぬぐい去ることはできなかった。

運命の四月七日は、朝から快晴だった。

頭上には宇宙のはてまで突き抜けるような青空が広がり、山をおおった木々が新緑の枝を風にそよがせている。

七尾湾は油を流したようなべた凪《な》ぎで、さざ波に反射した光が躍りながらきらめいていた。

信春は寺に持参する荷物の中に、ひそかに草鞋と脚半をすべり込ませた。役目を断わると決め

ているのに、出来なかった場合に備えて旅仕度をしている。

そんな迷いを引きずったままだった。

「花祭りの参籠に、本延寺さんに行ってくる」

見送りに出た静子に告げた。

「それではお戻りは明日ですね」

「実家に顔を出せと言われているので、明後日になるかもしれぬ」

「着替えをお持ちにならなくていいのですか」

静子の心配りはいつものように濃《こま》やかである。そんな妻をあざむくことに呵責《かしゃく》を覚えながら、信春はまだ行くかどうか分らないのでそれには及ばないと言った。

「父上、できた」

久蔵が奥から走り出て八重桜の絵を見せた。

木筆の絵にうっすらと色をつけている。描いているのは花ばかりだが、しだれた枝が重たげにたわんでいるところまで目に浮かぶ。四つとは思えない恐るべき力量だった。

「よく描けたな。おじいちゃんに見てもらったか」

「これから」

久蔵がはにかんだ顔をした。信春に真っ先に見せたかったとは、恥ずかしくて言えなかったのである。

あたりが薄暗くなるのを待って、信春は港の近くにある本延寺をたずねた。

境内にはいくつもの蔵が並んでいる。信徒の中には商工業にたずさわる者が多いので、商いの荷物を一時的に寺に預けられるようにしているのだった。

本堂は間口八間もある大きなもので、すでに百人ばかりが集まっていた。家族づれや友達づれが思い思いの場所に座り込んでいる。

顔見知りも何人かいたが、信春は声をかけなかった。ここで武之丞と会うことを知られないように、境内の暗がりに腰を下ろして法要が始まるのを待った。

本堂の正面には、父宗清が描いた法華経本尊曼荼羅図がかかげてある。その横には信春が彩色した日蓮上人の座像が安置してあった。

信春の色彩感覚は群を抜いていて、細部まで入念に描き込む。この像もそうした技術の粋をつくしたもので、きらびやかに彩った七条袈裟や法服は、生身の上人を眼前にするような迫力があった。

(ここに大涅槃図をかけたなら、確かに信徒の方々は喜んで下されよう)

信春は宗清がこの仕事にこだわる理由が分った気がした。

生涯を北陸の絵仏師として過ごした養父は、なじみの寺に代表作となる大作を残したいのだ。それにも気付かず反対したことが、ひどく罪深いことのように思えた。

境内には参籠の用意をした者たちが次々と入ってくる。信春は注意深く目をこらしていたが、日がとっぷりと暮れても武之丞は姿を現さなかった。

やがて寺の住職である日便和尚が法話を始めた。左右に灯明をかかげ、曼荼羅図の前に立って

天下の情勢をひとしきり語った。

本延寺の本山は京都の本法寺なので、和尚は年に何度か上洛する。そこで仕入れてきた話は、雪に閉ざされて長い冬を過ごしてきた者たちにとってはまたとない娯楽である。海路を利して都と商売している者にとっては貴重な情報でもある。

本堂に集まった者たちは、ひと言も聞きのがすまいと身を乗り出して耳を立てていた。

日便和尚は皆の気持を充分に引きつけてから法話に移った。

花祭りの参籠なので釈迦の誕生と生涯に重点をおき、法華経の悟りにいたるまでをやさしい言葉で語っていく。

最後は日蓮上人の『聖愚問答抄』の一眼《いちげん》の亀の件《くだり》を読み上げた。

「我ら無始より已来《このかた》、無明の酒に酔《よい》て六道四生に輪回して、ある時は焦熱、大焦熱の炎にむせび、ある時は紅蓮、大紅蓮の氷にとじられ、ある時は餓鬼、飢渇《きかつ》の悲しみに値いて……」

朗々と読み上げる声が本堂に谺《こだま》し、集まった者たちの心に日蓮の教えをしみ込ませていく。

信春もしばしその声に聞き入り、今の自分こそ焦熱、大焦熱の炎にむせんでいるのだと思った。

そこから抜け出すには、一眼の亀が浮木《ふぼく》の穴に入って体を休めるように、如来の教えに身をゆだねるしかない。そのことは分っていながら、本堂の戸が開いて人が入ってくるたびに、武之丞ではないかとふり返る。

しかも法話に共感すればするほど、自分も釈迦のように家を捨てて画業に没頭しなければという思いが強くなった。

（お釈迦さまは二十九歳で家を捨てられた。自分はもう三十三ではないか）

それだけで大成への道を閉ざされた気がする。そして都にいる狩野永徳はまだ二十九だと、背中を焼かれるような焦燥に駆られた。

法話が終るとお斎《とき》の粥が出る。スジャータという娘が瀕死の釈迦に乳粥《ちちがゆ》を与えて悟りを助けた故事にちなんだものだ。

塩をふっただけの質素な粥だが、寺の大釜で炊くので不思議なくらい美味である。しかもお代わりが自由なので、参籠する者たちの大きな楽しみになっていた。

お斎が終わると、本堂でごろ寝して朝まで過ごす。日常をはなれた経験に気持が高ぶるせいか、皆が一睡もしないでひそひそ話をしたり忍び笑いをもらしている。

中にはひそやかに睦言《むつごと》をかわしている男女もいた。

信春は明り障子の側に席を占め、武之丞が来たならすぐに分るように片膝立ちになっていたが、その努力は夜が明けるまで報われなかった。

（それならもう、この話は終りだ）

兄とは金輪際縁を切ると、信春は憤懣《ふんまん》やる方ない思いで本堂を抜け出した。

明け方の薄青い闇の中を、信春は急ぎ足で家に向かった。

（許さぬ。今度ばかりは）

兄への怒りで、胸がはり裂けそうだった。

何か特別な事情があって来れなかったとは、毛の先ほども思わなかった。弟との約束など破っ

てもいいと、初めからなめてかかっているのである。それゆえこちらの事情などお構いなしに用事を言いつけ、どんなに迷惑をかけようと知らんふりをする。

しかもそれが当然だと思っているのだから許し難いが、信春はこれまでどんな扱いを受けようと黙って耐えてきた。

「武之丞は主人、そちは家来と思え」

幼い頃から、父にそうしつけられたからだ。

父は言葉通りの待遇で、事あるごとにそのことを思い知らせようとした。食事も父と兄だけが居間で、信春は下女たちと厨《くりや》の土間でとった。来客があると兄だけが座敷で相伴《しょうばん》をし、信春は玄関で下足番をさせられた。

そんな風に育てられたせいか、兄も信春を家来としか見ていなかった。武術の稽古を口実にして容赦なく打ちのめしたし、泳ぎを教えてやると海の深みまで連れ出し、

「自分で岸まで泳ぎつけ」

そう言って置き去りにした。

まともに泳げなかった信春は何度も溺れかかり、喉をさす塩辛い水にむせびながら必死に岸までたどりつこうとした。

兄は仲間といっしょに笑いながら見ているばかりで、救いの手をさし伸べようともしない。

信春は死の恐怖と戦いながら、負けてたまるかと思った。こんな愚劣な兄に、いじめ殺されるようにして死ぬわけにはいかない。岸にたどりついて怨みのひと太刀をあびせてやる。その一念

から萎えかける手足を懸命に動かした。

もし信春がそのまま奥村家にいたなら、それが戦場で生きのびるための武家の教育法だと理解したかもしれない。ところが十一歳の時に長谷川家に養子に出され、跡継ぎとして手厚く扱われて人となったので、幼い頃のことが理不尽ないじめとしてしか記憶に残っていない。

だから武之丞にこんな扱いを受けると、二重にも三重にも無念だった。

(もう今日かぎり、兄でも弟でもない)

信春はこみ上げてくる悔し涙を流すまいと、歯を食いしばって顔を上げた。

空は陰鬱に暗かった。

もう夏も近いというのに、冬に逆もどりしたように雲が低くたれ込めている。北からの風が強く海も荒れて、岸に打ちよせる波の音が地鳴りのように聞こえていた。

信春は息苦しいばかりの空の低さに腹を立てた。こんな天気に封じ込められているから、能登の人間は駄目なのだ。

じっと我慢して冬が去るのを待つばかりで、自分から積極的に動こうとしない。動こうとする者がいると、親の仇《かたき》のように足を引っ張ってこの土地に縛りつけようとする。

(だからいつまでたっても、新しいものが生み出せないのだ)

信春は腹立ちまぎれに心の中で悪態をついたが、それは生粋の能登人である自分の弱さをののしったものだった。

やがて雨が降りだし、遠くで雷鳴がとどろいた。ぶり起こしの時期でもないのに、紫色の稲光

りがして空を切り裂く凄まじい音がした。

雨には雹《ひょう》がまじり、横なぐりの風に吹かれて顔に打ちつけてくる。

信春は前かがみになり、荷物がぬれないように抱きしめて歩きつづけた。包みの中には草鞋や脚半ばかりでなく、家族の目を盗んで描き上げた郭巨の図が入っていた。

狩野永徳の絵を思い浮かべながら模写したもので、ようやく納得のいくものに仕上がったと自負している。これを一乗谷の曾我一門の者たちに批評してもらい、自分の力量がどの程度か確めようと、ひそかに荷物の中に忍び込ませていた。

この絵ばかりはぬらしてはならぬ。これを台無しにしたなら、都への道は永遠に閉ざされる。信春はそんな予感にかられて走り出した。

港からつづく道は、城下を東西に貫く道に行き当たる。氷見と輪島《わじま》を結ぶ能登街道である。その三叉路を右に折れた所に家があった。通りに面した部分が店になっているが、早朝のことで表の戸はぴたりと閉ざされていた。

信春は戸を叩いた。早く中に入って郭巨の図を取り出さなければ、雨がしみ込んで駄目になる。その心配に追い立てられ、近所の迷惑もはばからずに戸を叩きつづけた。

だが反応はなかった。

店には泊り込みの者がいるはずだが、人が動き出す気配はなかった。

「私だ、信春だ。誰かいないのか」

声を張り上げても返事がない。戸はぴたりと閉ざされている。

信春はくぐり戸に手をかけた。閉店の日や夜間には、店の者はここから出入りする。あるいは内側にさした錠がはずれるかもしれないと、くぐり戸をゆすってみた。戸は拍子抜けするほど簡単に開いた。

錠をさし忘れたにちがいない。何と無用心なと思いながら店に入ると、中は静まり返っていた。泊りの者の姿も見えず、土間はしんと冷え込んでいる。

信春は急いで荷物の中から郭巨の図を取り出したが、雨にぬれて線がにじみ、霧がかかったように薄ぼんやりとしていた。

着物もびしょぬれで肌寒い。早く着替えてひと寝入りしよう。そう思って母屋に向かったが、仕切りの戸を開けたとたんに異変に気付いた。

廊下が土足で踏み荒らされている。しかも一人や二人ではない。幅一間ばかりの廊下を足跡でうめるほどだった。

（まさか七人衆の手の者が……）

信春の背筋に寒気が走った。

武之丞のたくらみに加担していると知って踏み込んだのなら、無事ではすまない。信春は店にとって返し、土間においた六尺棒をつかんだ。

長谷川家に養子に入ってからは、武術の稽古から遠ざかっている。利き腕に筋肉がつくと細くやわらかな線が引けなくなるので、木刀を振る時も左腕を使うようにしていたが、少年の頃の鍛練のお陰で人並み以上に使える自信はある。

六尺棒を槍のように構えて奥に向かっていると、床の下に男が倒れ伏していた。泊り込みで店番をしていた手代である。首には紐でしめられた跡が青黒いあざになって残っていた。

賊はくぐり戸を開けさせて店に踏み込み、手代を殺して床下に押し込んだにちがいない。桜川のほとりの船小屋に、斬殺した二人を押し込んだのと同じ手口だった。

雨は激しく降りつづいている。

信春は母屋の軒伝いに奥へ進んだ。家の中は静まりかえっていた。人がいる気配はなく、新緑につつまれた桜の木が影のように立ちつくしている。

その向こうに仕事場にしている離れがあった。

戸は開いたままだった。中が踏み荒らされているのが遠目にも分る。人がいないことを確かめて中に入ると、文机や違い棚の引き出しが開けられ、中の品々が床にほうり出されていた。

賊は信春が畠山義綱の起請文を受け取ったと思ったのだろう。それが朝倉義景の手に渡る前に奪い返そうと、夜半に踏み込んだにちがいない。

信春はこんなことに加担したことを痛切に悔みながら、隣の閨《ねや》の戸を開けた。静子と久蔵が寝ていた夜具はもぬけの殻で、やはり引き出しや物入れが荒らされている。

二人は連れ去られたのか。それとも……。

信春は絶望に打ちのめされそうになりながら、母屋へつづく廊下を渡った。突き当たりには座敷があり、先祖の位牌《いはい》を安置した仏壇がある。そこも無残なばかりに荒らされていた。

引き出しに入れたお香が床に散らばり、梅に似たふくよかな香りがただよっていた。その中に

かすかに血の匂いがまじっている。鉄さびをふくんだような生臭い匂いである。

信春はぞっとして居間に行った。

囲炉裏にはいつものように自在鉤《かぎ》がかかっているが、戸棚は開けっ放しにされ、食器までほうり出されていた。

隣は宗清の仕事場である。ここの杉戸ばかりはぴたりと閉ざされている。血の匂いはその隙間からもれていた。

信春は戸に手をかけ、ためらいをふり切って引き開けた。

部屋の中央に宗清とお相が折り重なって倒れていた。お相はうつ伏せになり、胸のあたりから血を流している。宗清は喉元をえぐられ、妻を庇うようにお相の背中に倒れ伏していた。

「養父上《ちち》……、養母上《はは》……」

信春は衝撃のあまりその場にくずおれそうになったが、気を取り直して静子や久蔵を捜しはじめた。

「静子、久蔵」

大声をあげてすみずみまで捜し回った。

二人はどこにもいない。もしや床下にでも隠れていないかと、外に飛び出して縁の下をのぞいてみた。

庭は雨で水びたしになっている。手足が泥だらけになるのも構わず、はいずり回って捜しつづけた。

「静子、久蔵。返事をしてくれ」

大声で呼びかけながら、信春は滂沱《ぼうだ》の涙を流した。

自分の愚かさのためにこんなことになってしまった。こうなる恐れがあることが分っていながら、ずるずると執着に引きずられてきた報いがこれである。

信春は四つんばいになり、ぬかるみに額を打ちつけて自分を責めた。じっとしているとどうにかなりそうである。何度も何度も額を打ちつけ、かろうじて正気を保った。

「あなた、あなた」

雨の音をついて静子の声がした。

信春はあたりを見回したが、どこにもいない。空耳だったかと疑っていると、もう一度同じ声が聞こえた。

「どこだ。どこにいる」

「ここです。蔵の中に」

土蔵の庇《ひさし》の下に、小さな明り取りの窓がある。そこに顔をつけて、静子が懸命に声を上げていた。

「息子も、久蔵もそこか」

「ここにおります。早く開けて下さい」

信春は生き返る思いで蔵に駆けよったが、扉には鍵がかかっている。しかも錠前は外からかけられていた。

「これはどうしたことだ。賊の仕業《しわざ》か」

「父《とと》さまが二人をここにかくまって、鍵をなされました」

商家に生まれた静子は、父親のことをそう呼ぶ。

宗清がなぜそんなことをしたのか、信春にはとっさに理解できなかった。

「鍵は、蔵の鍵はどこだ」

「ここに、中に投げ入れていかれました」

賊が迫っているので隠している暇はない。宗清はとっさに鍵を窓から投げ入れたのだった。

静子は格子の間から手を伸ばして鍵を離した。チャリンという乾いた音を立てて、命の鍵が軒下に落ちた。

扉を開けると、静子が夜着のまま久蔵をひしと抱きしめていた。蔵の中は氷室《ひむろ》のように冷えきっていて、二人とも歯の根が合わないほど震えていた。

「もう大丈夫だ。怖がらなくてもいい」

信春は二人を離れの閨につれて行き、夜具にくるんで暖をとらせた。自分もずぶぬれなのに、少しも寒さを感じなかった。

「何があったのです。父《とと》さまと母《かか》さまはご無事でしょうか」

静子は惨劇を知らないまま、二人はどうしているかと案じていた。

「養父上《ちちうえ》はどうしてお前たちを蔵に入れられた。昨夜のことを詳しく話してくれ」

「真夜中に父さまが来られて、蔵に隠れるように言われたのです。なぜそんなことをするのか、

訊ねるひまもありませんでした」

そうして身をひそめていると、十人ばかりが家に踏み込んでくる音がした。男たちは殺気立った声を上げて家捜《やさが》しをしていたが、夜明け前に引き上げていった。

静子は両親のことが気がかりで母屋に行こうとしたが、外から鍵がかかっているので出られなかったのである。

「養父上は、賊が襲って来るのを知っておられたのだな」

だから二人をかくまった後で鍵をかけたのである。だが出口は表の通りに面したところにしかないので、自分たちは逃げられないと観念したのだろう。

そう考えて、信春ははっとした。

宗清は賊が何者かも、何のために襲ってきたかも知っていた。だから捕らわれれば拷問にかけられると案じて、お相と共に自害したのではないか……。

「ここを動くな。じっとしてろ」

信春は静子をその場に押さえつけるようにして、二人の遺体を改めに行った。

間違いない。宗清の首の傷は自分で耳の下から喉仏までかき切ったもので、側には竹筆をけずるための小刀が血にぬれたまま落ちていた。

(何ということを)

信春が茫然と立ちつくしていると、背後でどさりと音がした。

両親の死を目のあたりにした静子が、気を失って床に倒れたのだった。

第二章　焦熱の道

非業の死をとげた養父母の初盆《はつぼん》の供養が、七月十三日に長谷川家の菩提寺である長寿寺《ちょうじゅじ》でおこなわれた。

旧暦七月といえば夏の盛りである。日中の陽射しはきつく、七尾の城下は湿気の多いうだるような暑さにつつまれていた。

参道の両側の公孫樹《いちょう》では、大量に発生した蟬が狂ったような声を上げている。それが空気を震わせ、重圧となってのしかかってくるようだった。

長谷川信春（等伯）は久蔵の手を引き、額に汗をうかべながら参道を登った。

後ろからためらいがちな足取りでついてきた妻の静子が、参道の中ほどで立ち止まり、

「本当にいいのですか」

気遣わしげな目をして念を押した。

「いいのだ。たとえどんな扱いを受けようと、初盆の法要だけには加えてもらいたい」

そうすることが養父母を死にいたらしめた、せめてもの償いである。親戚一門からどんな扱いを受けようと、じっと耐えるしかないと肚《はら》をすえていた。

寺の山門をくぐると、すでに三十人ばかりが集まり、木陰で陽射しをよけながら立ち話をしていた。いずれも薄墨色の麻の単衣《ひとえ》を着て、扇子でせわしなく胸元をあおいでいた。

信春に気付くと、

「何や。お前は」

宗清の弟の宗高《むねたか》が足早に寄ってきた。

「ここには来るなと言うたはずや。うちとはもう関係ない人間なんやからな」

「そのことは伺いましたが、今日ばかりは何とぞお許しいただきとうございます」

信春は大きな体を縮め、罪人のように頭を下げた。

「阿呆、兄を死なせた人間を誰が許すか」

宗高は境内中に響く声を張り上げた。

宗高も絵仏師として名を知られた男だが、信春が長谷川家の養子になって跡をついだために、分家せざるを得なくなった。

そのわだかまりが、信春への態度をいっそう険しくしていた。

「叔父さん、どうか堪忍して下さい」

静子が一緒に頭を下げて取りなした。

「駄目だ駄目だ。こいつは奥村のためにうちを犠牲にした。恩を仇《あだ》で返したんやぞ」

「兄さん、大きな声出さんと」

宗高の妹のお通《つう》がたしなめた。今は裕福な商家に嫁ぎ、三人の子をもうけていた。

「一番辛い思いをしているのは静子ですよ。後のことはみんな兄さんの思い通りになったんだから、今日くらい許してやってもいいじゃないですか」

「そんなわけにいくか」

宗高は長谷川一門の棟梁《とうりよう》になった威厳を示そうと強硬な姿勢をとったが、お通に鋭くにらまれると急に弱腰になった。

これまでお通には、いろいろと経済的な援助を受けていたからである。

「お前がそう言うなら仕方がないが、本堂に入ることは許さへん。供養したいという気持が本物なら、ここに座って二人の冥福を祈っとれ」

本堂につづく石灰岩を敷きつめた石畳が、夏の陽をあびてひときわ白く輝いている。信春はその上に牛のように引き出され、おとなしく座った。

石畳がすねや膝に当たり、刺されるように痛い。太陽は頭上から容赦なく照りつけ、炙《あぶ》られるように暑い。

しかしこれも当然の報いだと、法要の間じっと耐えつづけた。

宗清の一件は、結局うやむやにされたままだった。通報を受けて役人たちが駆けつけたが、賊の身許が分る証拠は何もないと、早々に引き上げていった。

おそらく踏み込んだのは七人衆の手の者で、信春が朝倉義景にあてた畠山義綱の起請文を隠し持っていると思ったのだろう。

だが信春は不在で、起請文を見つけることもできなかった。その上、長谷川宗清夫妻が自害するという事態まで引き起こした。そのために世の非難を恐れ、この事件には関与していないという態度を取ることにしたらしい。

張本人である奥村武之丞は、行方をくらましたままだった。しかも事件の直前に長《ちよう》続連《つぐつら》に隠居届けを出し、家督を嫡男にゆずっていたと聞いて、信春は愕然とした。

武之丞は初めから起請文を渡す気はなく、七人衆の目をあざむくために自分を囮《おとり》に使ったのではないか。そんな疑いが抑えようもなくわき上がってきた。

(まさか、いくら兄でも……)

そこまでするとは思いたくないが、畠山家の存亡をかけた切羽詰った時期だけに、どんな手を使うか分らない。義綱の起請文を渡したと見せかけて七人衆の目を信春に引きつけ、自分で一乗谷に向かったのかもしれなかった。

(そうでなければ、押し入った者たちがあれほど徹底的に家捜しをするはずがない)

信春はそう思ったが、武之丞に真偽を確かめる術《すべ》はない。たとえ確かめたところで、もはや取り返しはつかなかった。

事件の半月後、信春は城下を騒がせた罪によって七尾から追放されることになった。

賊が何者か分らないが、このような事件を引き起こした責任は長谷川家にもある。いわば喧嘩

両成敗に似た処分が下され、当主の信春だけが所払いとされた。

この処分を受けて、長谷川家では一門を集めて家族会議を開いた。宗高やお通ら親類が集まり、今後の対応を協議した。

当然、信春に対する風当たりは強く、責任を追及する声はきびしかった。信春はありのままを話したが、誰にも信用してもらえなかった。

もしそれだけのことなら、宗清がお相を道づれに自害するはずがない。もっと重大なことがあるのに、武之丞らを庇って隠しているのだ。そう疑われたのである。

武之丞が事件の前に家督をゆずっていたことも、この疑いに拍車をかけた。宗高が言ったように、奥村家のために長谷川家を犠牲にしたと取られても仕方のない状況だった。

話し合いの結果、信春と静子を離縁させ、絵仏師の心得がある者を新しく養子に迎えることになった。その候補者として名が挙がったのは、宗高の次男宗冬《むねふゆ》だった。

「あいつなら絵の腕も確かやし、本家のことを誰よりも大切にしてくれる」

最初から宗冬を養子にしておけばこんなことにはならなかったと、宗高は鬼の首でも取ったように高言した。

信春に反論する権利はない。何と言われようと黙って従うしかなかったが、静子がきっぱりと断わった。

「うちはこの人について行きます。久蔵も一緒です」

家も故郷も捨て、親子三人で生きると言い張った。

「所払いの無宿人やぞ。どうやって暮らしていくんや」

そう問い詰める宗高に、

「そんなことは二人で考えます。この家は叔父さんが継いだらいいでしょう」

日頃のおとなしさからは想像もできない強い口調で言い放ち、皆をあぜんとさせた。

「さようか。そんなら好きにしたらええ。そやけど本家の財産はびた一文渡さんからな」

宗高は激怒したふりをしたが、内心ではにんまりとしていたのだった。


未の刻（午後二時）を過ぎると暑さはもっとも厳しくなる。太陽は頭上からジリジリと照り付け、焼けた石畳や白砂は地表の温度を容赦なく上げていく。

それでも信春は正座したまま本堂から聞こえてくるお題目に耳を傾けていた。

すねや膝はすでに痛みの限界をこえ、何も感じなくなっている。額やこめかみから噴き出す汗が、目に入り頬を伝って流れ落ちるが、ぬぐおうともしなかった。

これが絵の修行に都へ出ようとした罰なら、真っ正面から受け止めなければならない。たとえ八ツ裂きにされようとこの道を突き進むのだと、自分自身に証明してみせる。

信春は汗がにじんで血走った目を、本堂のはるか彼方に向けた。

未申《ひつじさる》、都のある南西の方角である。その先には古今の名画が秘蔵され、狩野永徳が自在の筆をふるうあこがれの地が待っている。

こんなことで、こんな所で、打ちのめされるわけにはいかなかった。

（静子、久蔵……）

こんな父を許せと、心の中でうめくようにつぶやいた。

事件以来、静子は何ひとつ非難がましいことは言わなかった。辛さに耐える思い詰めた表情をすることはあっても、以前と変わらず献身的につくしている。しかも家も故郷も捨てて行動をともにするという。

これほど自分のことを思ってくれていたとは、意外なほどだった。

やがて法要が終り、宗高を先頭にして親類の者たちが本堂から出てきた。本堂の中も暑かったようで、扇子をせわしなく使ったり、手ぬぐいで首筋をぬぐったりしている。

信春は不様《ぶざま》なところを見せまいと目をつぶった。

仕事にかかる前のように、釈迦如来と多宝如来が天空の高みで説法している場面を瞑想し、真実によって荘厳《しようごん》された無限の彼方に心と体を解き放とうとした。

「こら、又四郎」

宗高が目の前に仁王立ちになり、これが兄と義姉《あね》の気持だと顔を殴りつけた。

信春はもはや痛みを感じない。だが胸ははり裂けそうで、涙がとめどなくあふれ出した。

他の者たちは穢《けが》れに触れまいとするように、遠巻きにして通り過ぎてゆく。七尾を追われ無縁となった信春に、手をさし伸べようとする者はいなかった。

ふいにかぐわしいお香の匂いがして、やわらかい手ぬぐいが目に押し当てられた。静子がかがみ込んで涙と汗をふいたのである。

その後ろに隠れるようにして、久蔵がじっと信春を見つめていた。

「ご苦労さまでした。さあ、行きましょう」

静子が何事もなかったように笑いかけた。

下ぶくれのおだやかな顔と、深みのある慈愛に満ちた瞳が胸にしみる。信春は照れたように笑い返して立とうとしたが、足が萎えきって力が入らず、ばったりと前に倒れた。

夜は親子三人で城下の旅籠に泊った。

信春の疲れがひどいことを案じた静子が、幼なじみが嫁いでいるからと強引につれていったのである。

城下でも指折りの格式高い宿で、唐破風《からはふ》の門がいかめしく庶民の立ち入りを拒んでいる。静子は玄関先で店の女将と話をつけ、一番立派な床の間つきの部屋に入った。

夕方の食事も豪華だった。

能登半島の方々から集めた海の幸が、青磁の大皿に所狭しと盛りつけてある。珠洲《すず》のカキ、輪島のアワビやサザエ、七尾湾の赤西貝《あかにしがい》など、海女《あま》たちが深い海の底からつかみ上げてきた逸品ばかりである。

脂ののった冬のブリを塩漬けにして保存し、お盆すぎに食べる巻鰤《まきぶり》も、七尾ならではの馳走だった。

「これはいったい、どうしたことだ」

信春は別世界に迷い込んだ気がした。

「二度とこの町には戻れないのですから、友だちに頼んで贅沢させてもらうことにしました」

静子は不敵なばかりに落ち着き払い、早く食べましょうと箸を取った。

久蔵も大喜びで、お膳に乗り上がるようにして好物のカキを手づかみにした。

「どこにそんな銭がある。まさか食い逃げするつもりじゃないだろうな」

「心配いりません。お通叔母さんから、たくさん路銀《ろぎん》をいただきました」

「たくさんって、いくらだ」

京まではまだ遠い。こんな所で浪費しては先が心許ないと、信春はひときわ慎重になっていた。

「さあ、三貫くらいかしら」

「銭三貫文か」

「銀三貫です。長谷川の店の名で、手形をふり出してくれました」

この時代、すでに手形が普及している。重い銭を持ち運ぶのは不便だし、盗賊の難にあう危険もあるので、各地の主要都市では手形を銭や金銀にかえる両替商が店を営んでいた。

商いに詳しいお通は、長谷川家が宗高の手に渡る前に銀三貫の手形を作り、静子の懐にねじ込んだ。銀三貫はおよそ金六十両。今日の六百万円に相当する額だった。

七尾から都へ向かうには、千野、江曽《えそ》、二宮と陸路をたどり芹川にいたる。ここで川舟に乗りかえて長曽《ながそ》川をくだると、間もなく広々とした湖に出る。

能登半島西岸の羽咋《はくい》までつづく邑知潟《おうちがた》である。

現在は埋立てられて平野と化しているが、この頃には羽咋から良川《よしかわ》あたりまでつづく豊かな湖で、水運の大動脈としての役割をはたしていた。

七尾から芹川まで陸路で約三里、羽咋までは水路で同じく三里だから、朝に七尾を発てば夕方には羽咋に着く。

羽咋から船に乗って越前の敦賀《つるが》港に入り、ここから北国《ほっこく》街道をたどって琵琶湖の塩津《しおづ》に出る。塩津から船で大津《おおつ》まで行き、山科《やましな》を抜けて粟田口《あわたぐち》から都に入る。

距離はかなりあるが陸路が少ないので、海路の日和《ひよ》りに恵まれれば難なく行ける。

それゆえ七尾と都の交流や通商は、今日我々が想像するよりはるかに活発におこなわれていた。

卯《う》の刻、午前六時に七尾を出た信春は、久蔵を背負い静子を後ろに従えて芹川にむかった。

三里の道のりとはいえ、旅なれていない静子の足には難敵である。無理をさせないように気づかいながら歩くので、一人で旅をする時よりずっと負担が大きかった。

路銀は潤沢にあるものの、七尾を追放されて無縁になった身である。この先何があろうと公権力に頼ることはできないし、力尽きたなら親子三人路傍に屍《しかばね》をさらすしかない。

そう思うと重圧に足がすくみそうだった。自分だけならまだいいが、静子や久蔵まで泣かせることになったなら、どう責任を取ればいいのか。

そうした危険に直面して初めて、これまで故郷や家にどれほど手厚く守られていたかに気付いた。飢える心配や凍える不安に悩まされることなく暮らせたのは、地域を守り家を守ってきた者たちの努力があったからである。

そのことに気付きもせずに、まわりの人間の閉鎖性や保守性ばかりに腹を立てていた自分は、何と愚かだったのだろう。その愚かさが高じて、乗っている船を我が手で叩き壊したようなものだ。

（そして養父《ちち》と養母《はは》を死なせてしまった）

後悔や不安と歩調を合わせるように、空はにわかに曇りだし、千野の宿場をすぎた頃から雨がふり出した。

夏の走り雨である。

遠くの山々を白く煙らせながらみるみる近付き、あたり一面を水びたしにする。

大きな松の木の下に駆け込んで雨が通りすぎるのを待ったが、雨雲はわざとのように頭上に居座り、雨足はいっこうに弱まらなかった。

「ちょっと待ってろ。番傘と蓑を買ってくる」

二人を松の下に待たせ、千野の宿場に引き返した。茶店には旅人のために雨具を売っている。その中から静子のために番傘を買い、自分は蓑と笠をまとった。

松の所までもどると、目の前に真っ直ぐな道がつづいていた。

両側を松林におおわれた細い道が、水たまりとなって雨をはねながらどこまでもつづいている。その脇の松の大木の下で、静子と久蔵が抱き合うように身を寄せていた。

家を失くし故郷を失くした二人の頼りない姿に、信春は胸を打たれて立ちすくんだ。

「ああ……、許せ」

信春はその場に跪《ひざまず》きたい衝動にかられ、うめくようにつぶやいた。

親を殺した者は無間《むけん》地獄に堕《お》ち、隙《ひま》もなく大苦を受けるという。信春はまさにこの罪をおかし、これから焦熱《しょうねつ》の道を歩みつづけなければならないのである。

「あ、父上だ」

久蔵が信春に気付き、雨の中を走り寄ってきた。

信春は一瞬、突き飛ばして逃げ出したくなった。私について来るな。ここで別れたほうがお前たちのためだ。そう言って雨の道を走り出したくなったが、次の瞬間、久蔵をかかえ上げてしっかりと抱き締めていた。

前に抱けば、久蔵を蓑でおおうことができる。尻を紐でしばれば腕も楽である。そうして右手に番傘を持ち、静子を寄り添わせて歩きだした。

人は意志ある限り前に進むことができる。諸難ありとも疑う心なくば自然に仏界にいたるべしと、日蓮上人は説いておられるのである。

(屈するな。諦めるな)

信春は心の中で呪文のように唱えながら、雨の道を歩きつづけた。

江曽の宿場に入った途端、僧衣を着た若い男が目の前に立ちはだかった。

「ご無礼いたします。長谷川信春さまでしょうか」

「そうですが」

七人衆の手の者ではないかと、信春は静子を背中にかくして身構えた。

「本光寺《ほんこうじ》の永忍《えいにん》という者でございます。本延寺の日便上人のお申し付けで、お待ち申し上げておりました」

寺まで案内するというが、信春はすぐには応じなかった。この近くに本光寺という法華《ほっけ》宗の寺があることは知っているが、日便和尚がこんな所で自分を待っているとは信じられなかった。

「一眼の亀に浮木を渡したい。そう伝えよとおおせられました」

和尚が花祭りの前夜に説いた話である。それなら間違いあるまいと、信春は妻子をつれて本光寺の山門をくぐった。

日便和尚は本堂脇の庫裏で待っていた。

麻の小袖一枚になり、あぐらをかいてくつろいでいた。

「雨の中を難儀なことよな」

養父の宗清と同年代で、信春のことは幼い頃から知っている。長谷川家に養子に入ることになったのも、和尚の仲立ちがあったからだった。

「そなたに罪がないことは、このわしが知っておる。あの夜、そなたは、明け方まで誰かを待っておったな」

「さようでございます」

信春は静子に聞かせたくて急《せ》き込んで答えた。

「おお方、武之丞にそそのかされたのであろう。あやつは昔から自分のことしか見えておらぬ」

「兄の企てを、和尚はご存知だったのでございますか」

「我らも畠山家とは縁が深い。今は関わりなくとも、おおよそのことは伝わってくる」

「養父は……、養父はそのことを知っておられたのでしょうか」

「北陸一の絵仏師じゃ。ご商売での付き合いも広い。わしが話さずとも、存じておられることは多かったであろう」

「私が一乗谷に使いに行くことも、知っておられたのですね」

「そこまでは分らぬ。だが、無理な道を進もうとしていると案じておられたことは確かじゃ」

「それでは養父は、なぜ自害などなされたのでしょうか」

信春は土間に突っ立ち、蓑から雨水をしたたらせたままだった。

「そなたはどう思う」

日便和尚が深い目で信春を見すえた。

「初めは賊の手にかかるまいとなされたと思いました。しかし、近頃はそうではあるまいと思うようになりました」

「さようか。まだ盆のさなかゆえ、幽魂《ゆうこん》となって我らを見ておられるかもしれぬの」

和尚は急に笑い出し、信春の腕から久蔵をひょいと抱き取った。

「昼時分じゃ。上がって粥など食べていけ」

のう、腹がへったであろう。いい子じゃいい子じゃ。和尚は久蔵をあやしながら奥へ行き、粥の仕度を申し付けた。

薬草がたっぷり入った粥を食べると、久蔵がすぐに寝入った。添い寝していた静子も、いつの

間にか寝息をたてていた。

早朝から歩きつづけ、さすがに疲れはてていたのである。

「そなたはよい嫁御《よめご》を持った。わしに感謝せねばならぬな」

和尚が二人の寝顔をしんみりとながめ入った。

「付いてきてくれるとは思いませんでした。非難がましいことも言わず、つとめて明るく振舞ってくれております」

「宗清というお方は、そなたの絵の才能に心底惚れ込んでおられた。あと十年もすれば、北陸ばかりか都にまで名をとどろかす絵師になるであろうと、涙を流しながら語られたこともあった」

「絵師と……、私のことをそのように申されたのでございますか」

「そうじゃ。絵仏師のままで終らせるわけにはいかぬとおおせであった。あのお方が、なぜ道《どう》浄《じょう》という法名を選ばれたか分るか」

「いいえ。聞いておりませぬ」

「絵仏師として、門徒衆の成仏の道を浄《きよ》めたいという思いがひとつ。もうひとつは、そなたが絵師になるための道を浄めたいという願いを持っておられたからじゃ」

(そんな、馬鹿な)

信春は狐につままれた気がした。

宗清からそんな話を聞いたことは一度もない。それゆえ家業を継がせようとばかりしていると思い込んでいた。

「宗清どのの気持は静子もよく分っておる。それゆえどこまでも歩みを共にして、そなたの力になりたいと思っているのであろう」

「それならば、なぜ養父は」

自害という道を選んだのかと、信春は堂々めぐりをくり返した。

宗清が早まったことをしなければ、こんなことにはならなかったという思いもあった。

「御仏は殺生《せっしょう》を禁じておられる。己れを殺すことも、教えに背く大罪じゃ。それを承知であのようなことをなされるとは、よほどの覚悟があってのことであろう」

日便和尚はしばらく瞑目してから、あれは自害ではなく捨身《しゃしん》だとつぶやいた。

「捨身と申しますと」

信春は意味が分らず問い返したが、和尚は何も答えず文机から二通の書状を取り出した。

「これがそなたに与える浮木じゃ。持っていけ」

一通は本延寺の使者として洛中の本法寺《ほんぼうじ》を訪ねる者だと保証したもの。もう一通は本法寺の日《にち》堯《ぎょう》上人にあてた紹介状だった。

「日堯上人とはいささか縁がある。わしの紹介と言えば、境内の隅にでも住まわせてくれよう」

「かたじけのうございます。何とお礼を申し上げてよいか」

これさえあれば、都に着いてからも安心である。妻子をつれて路頭に迷っていただけに、和尚の配慮がひときわ有難かった。

「日蓮上人は、大難来《きた》りなば強盛《ごうじょう》の信心いよいよ悦びをなすべしと説いておられる。大難なく

ば法華経の行者にはあらじ、とも申されておる。ただひたすら画業に打ち込み、天下一の絵師になれ。それがそなたの行者としての道じゃ」

「必ず精進いたします。身命を惜しまず、絵の行者となりまする」

信春の胸から熱い思いが突き上げ、涙となって流れ出た。

養父母を死なせて以来耐えつづけた思いが、一気に噴き出したのだった。

「画業に迷いがなくなったなら、宗清どのとお相さんのために大きな涅槃図を描いてくれ。それが何よりの供養じゃ」

いつの間にか雨が上がっている。信春は静子を起こし、眠ったままの久蔵を抱いて寺を出た。

静子の目尻には涙の跡が残っている。途中で目をさまし、和尚の話に耳を傾けていたようだった。


江曽から武部、二宮を通り、夕方に長曽川ぞいの芹川についた。ここから川舟に乗れば、邑知潟に出て羽咋に至る。今夜はここに宿をとり、明日の朝の舟便を待つことにした。

呼び込みの飯炊き女が強引に袖を引く。されるままにのれんをくぐろうとした時、信春は背後に人の気配を感じた。

誰かが物陰から様子をうかがっている。そんな気がしてふり返ったが、橋の向こうにつづく道に人の姿はなかった。

「どうかなされましたか」

静子がたずねた。

「いや、狐でも通ったようだ」

その夜、信春はなかなか寝入れなかった。

後を尾《つ》けているのは七人衆の手の者か、それとも武之丞の仲間なのか。そう思うと不安はふくれ上がる。七人衆は事件をうやむやにしたものの、畠山家に通じた信春を始末しようとしているのかもしれなかった。

「眠れないのですか」

静子が小声で気づかった。

衝立《ついたて》ひとつ向こうには別の客が寝ている宿だった。

「ああ、お前もか」

「だって、初めての夜ですから」

故郷を追われた身である。別れてきた者たちのことやこの先のことを思えば、眠れないのは無理もなかった。

「お前たちは私が守る。神仏に誓って、惨《むご》い目にはあわせない」

それこそが宗清やお相を死なせた罪滅ぼしだと言おうとして、

「あれは自害ではなく捨身だ」

という和尚の言葉を思い出した。

捨身とは仏法や他者救済のために命を捨てることである。修行や報恩のために、飢えた獣に喰

われることを捨身供養と呼ぶ。

(養父の死が捨身だとしたら……)

誰のために身を捧げたのか。まさか畠山家のためではあるまい。信春を家の軛《くびき》から解き放ち、後顧の憂いなく都に修行に行かせるために、夫婦そろって身を捨てたのだ。

(そんな、まさか)

信春は思わずはね起きた。

「どうしました。どこか痛むのですか」

静子が案じ顔で身を起こした。

「何でもない。何でもないんだ」

信春は激しく鼓動を打つ胸を押さえ、呼吸をととのえた。額や首筋に冷や汗が噴き出している。

それを静子にさとられまいと、袖口でぬぐって横になった。

信春は都に絵の修行に出れないのを、養子として長谷川家に縛られているからだと感じていた。宗清がそれを察し、二人で死ぬことによって絵師への道を開こうとしたのなら、この罪をいったいどうやって償ったらいいのか……。

翌朝、一番の川舟に乗った。

十人乗りばかりの小舟を、船頭が棹を差しながらあやつっていく。川の流れに乗って邑知潟に着き、湖上を往来する十石船に乗りかえた。

三十人乗りの大型船で、米十石が積めるのでこの名がある。客の集まりを待ち、満員になると

船を出す不定期便だった。

まだ四、五人ほどしかいない。舳先の方のいい席が空いていたが、信春はわざわざ船着場のちかくで時間をつぶし、満員ちかくになって乗り込むことにした。

そうすれば後から乗り込む者が少ないので、尾けている者がいたらすぐに分るからである。

「さあ、あと五人だよ」

係の者が声をかけるのを待って乗り込むと、後から風呂敷包みを背負った夫婦がすべり込んできた。刺客とは思えない、普通の行商人だった。

「船が出るぞぉ」

掛け声とともに、艪棚《ろだな》に立った六人の水夫《かこ》がいっせいに船を漕ぐ。船はみるみる速度をあげて羽咋へ向かった。

信春は腕を広げて深呼吸し、念のために後ろをふり返った。船着場に怪しい人影はない。誰かに尾けられていると感じたのは、負い目を持つゆえの錯覚かもしれなかった。

十石船は青々と澄んだ湖面を、すべるように進んでいく。葦の生い茂る岸辺には、白鳥が群をなして羽根を休めている。

カモメや海猫も、淡水湖にすむ魚をねらって声高く鳴きながら飛び回っていた。

羽咋の港が間近になった頃、

「父上、母《かか》さまが」

久蔵が切迫した声をあげた。

あたりの景色を脳裡にきざみつけようとばかりしていた信春は、はっとしてふり返った。

静子は座ったまま船縁によりかかり、苦しげに息をついている。顔がほてり、髪が額にへばりつくほど汗をかいているのに、体は驚くほど冷たかった。

「静子、どうした。大丈夫か」

「何でもありません。ちょっと疲れが」

虫の息ながら、心配をかけまいと言い張った。

「こんなに熱があるのに、何でもないことがあるか」

信春は静子を膝の上に抱き、背中や手足をさすった。どうしていいか分らない。ともかく体を温めてやることしか思いつかなかった。

「心配するな。すぐに医者につれていってやる」

信春は静子を抱いたまま立ち上がり、どなたか医術の心得のある方はいませんかと乗客に呼びかけた。

あいにく医者はいなかったが、羽咋に知り合いの医者がいるという僧がいた。泊り先が分れば、そこに訪ねさせるという。

「宿はどこがいいでしょうか。安心して休める所があれば教えて下さい」

信春は心配のあまり涙声になっていた。

「少し値が張りますが、的場屋さんなら間違いありません」

「支払いはちゃんとします。ご迷惑はかけませんから、そちらに案内して下さい」

的場屋は船着場のすぐ側にある船宿だった。羽咋は日本海を航行する大型船の寄港地なので、船頭や水夫たちのための船宿が軒をならべている。その中でも最上級の格式を誇っていた。

信春は店に入り、支払いはこれでするからと銀三貫の手形を見せた。

「結構でございます。どうぞ」

番頭は手形を預かろうともせず、青々とした畳の部屋に案内した。

医者はすぐに来てくれた。総髪にした五十がらみの男で、名医として名高い曲直瀬道三《まなせどうさん》に医術を学んだという。

「奥方は心の臓が弱っておられますな」

手首を握って脈をとりながら難しい顔をした。

「近頃、よほどお辛いことがあったと見受けますが、お心当たりはありませんか」

「あります。これには苦労のかけ通しなのです」

「さしつかえなければ」

治療のためにも聞かせてくれと言われ、信春はありのままを語った。その原因はすべてこの私だと、拳を握りしめて胸を叩いた。

「なるほど。それでも奥方は気丈に耐えてこられたのでございますな」

「耐えてきたばかりではありません。この私を守ろうと、こんな小さな体で……」

激しい感情が突き上げ、後は言葉にならなかった。

「病はそのせいです。心労と無理がたたって、気脈《きみゃく》の流れがとどこおっております」

「どうすれば治るのでしょうか」

「充分に栄養をとって静養することです。これは神通丸という薬です。一日三粒飲ませて下さい」

診療代は宿につけておくと、医者は早々に帰っていった。

医者を送って玄関口まで出た時、信春は常夜燈の陰からこちらを盗み見ている男に気付いた。ふり分け荷をかつぎ脚半《きゃはん》を巻いた、手代風の出立ちである。その男が十石船に乗り込んでいたことを、信春ははっきりと覚えていた。

朝一番の川舟で芹川を出れば、良川であの十石船に乗ることは容易に分る。それゆえ先回りして船に乗り込み、何喰わぬ顔で見張っていたにちがいなかった。

(あの野郎)

信春は裸足で土間に飛び降り、戸口の脇の用心棒をつかんで駆け出した。

静子をこんな目にあわせたのはあいつらだ。たとえ何人いようと、叩きのめして仇《かたき》をとってやる。信春は走りながら袴の股立《ももだ》ちを取り、激戦にそなえて棒の握りに唾をはきかけて湿りをくれた。

足も速い。六尺ちかい大男なのに、蹴りの強い獣のような走り方で相手との間を詰めていく。

このままでは追いつかれると思ったのか、手代風の男は道の角を曲ったところで建物の陰に逃げ込んだ。

観音寺の参道で、両側には茶店やみやげ物屋が並んでいる。そこに潜んだにちがいないが、立

ち入って捜し回るわけにはいかなかった。

船宿にもどると、静子は昏睡状態のままだった。

枕元には久蔵がちょこんと座り、心配そうに顔をのぞき込んでいた。

「腹がへったろう。何か食べるか」

「いらない」

顔も向けずに素っ気なかった。

「母《かか》さまは大丈夫だ。一晩寝れば元気になる」

まだ夜には間があったが、夜具を敷いて強引に寝かしつけた。

信春もいつの間にか寝入ったらしい。夜半に虫の音で目が覚めた。昼間はあれほど暑かったのに、夜になると急に冷え込み、鈴虫やこおろぎがひそやかな音を上げていた。

十五夜の月は清くすんで、明り障子から青い光がふりそそいでいる。まるで海の底のような色合いにそまった部屋に、静子と久蔵が身を寄せ合って眠っていた。

久蔵は信春の側で寝ていたのに、いつの間にか静子に寄りそい、母の腕をしっかりと抱きしめて眠っている。

静子は横向きになり、久蔵を抱きしめるように背中に左手を当てていた。眠ったまま無意識のうちに手を動かしたのか、左手に薄い夜具をからめたままである。

それが羽衣《はごろも》の袖のように軽やかに見えた。

（これは……）

信春は目をみはった。

病み伏しながらも我子を守ろうとしている静子の姿に、子供の守り神となった鬼子母神の姿を見たのである。

鬼子母神は幼児を奪って食い殺す夜叉だったが、仏に教化されて子授け、安産、子育ての守り神になった。これに従う十羅刹女は大鬼神女で、四天下のいっさいの鬼神の母だと法華経陀羅尼《だらに》品《ほん》は説いている。

信春はこの経文の字面にとらわれ、十羅刹女は鬼子母神の眷属《けんぞく》だとばかり思っていた。同じ神だという意識が強かったから、これまで両者を同じ大きさに描いてきた。

ところがそうではない。鬼子母神は十羅刹女の母なのである。だからすべての鬼神の母である十羅刹女を従わせ、子供や法華経の行者を守ることができるのだ。

(それゆえ新しい絵は)

静子に寄りそう久蔵のように、十羅刹女を鬼子母神に寄りそわせなければならない。そう気付くと矢も楯もたまらず、画帳と木筆をとって下絵を描き始めた。

真ん中に子供を抱いた鬼子母神を大きく描く。子供は母が持つ柘榴《ざくろ》を取ろうとたわむれ、丸くむっちりした腕を伸ばしている。

十羅刹女たちは、抱かれた子にいささか嫉妬している。自分もそんな風にしてもらいたいのに、もはや成人した身ではそれもならない。だから心の手を母親にさし伸べたばかりで、聞き分けのいい取りすました顔をして側に控えている。

そのずっと後方に、丸い輪の中に描いた日天子《にってんし》、月天子《がってんし》、明星天子《みょうじょうてんし》がいて、彼女たちが進む慈母の道を明るく照らしている。

着想は次々に浮かび、信春は夢中で木筆を走らせた。

下絵は迫真の出来だった。思った通りに線が引け、思いがけないほど奥行きのある絵に仕上がっていく。

信春は自分の腕の確かさと絵の仕上がりの見事さに魅了され、酔ったように木筆をふるった。

亡き宗清は、新しい作品は信仰と表現が一体となった時に生まれるものだと教えた。

信春はその意味を初めて体で理解し、一連の悲劇は自分をこの高みに導くために起こったのだとさえ思った。

細部の描写に入ると、明り障子からさし込む月の光だけではさすがに暗い。静子の顔の造作も見えにくい。もっと光を入れようと、信春は戸板を細目に開けた。

隙間から刃物のようにさし込む光が、静子の顔を照らした。

ほの白く浮き上がった顔には、疲れが色濃く現れている。頬がこけ生気が失せて、まるで死人のようだった。

信春は冷水をあびたように我に返った。表現への熱狂がさめ、現実が残酷なばかりの重さで迫ってきた。

（何が絵師だ。何が高みだ。養父母を殺し、妻子を路頭に迷わせ、こんな所でいい気になりやがって）

それでもお前は人間かと、心の声が責め立てる。

信春はあわてて戸板を閉め、言いようのない衝動に突き動かされて下絵をずたずたに引き裂いた。

表現とは病《やまい》である。どんなに美しく描こうと真実をとらえようと、我欲や煩悩にあやつられた技にすぎない。

信春は波のように打ちよせる後悔に頭をかかえ、大きな背中を震わせてしのび泣いた。


静子の体調は三日たっても回復しなかった。粥を少し食べられるようになったものの、起き上がることはできなかった。

医者を呼び、いつになったら治るのかと問い詰めると、

「あと十日ばかりは安静にして下さい。無理をすれば取り返しのつかないことになりますよ」

強い調子で言い放ち、機嫌をそこねて立ち去った。

信春は画帳も画材も仕舞い込み、献身的に看病をつづけた。

静子に万一のことがあったなら、自分も生きてはいられない。絵を描くなど愚かなことだと、うごめく心を封じ込めようとした。

病気にいい食べ物があると聞くと市場まで買いに走ったし、久蔵が側にいては落ち着かないだろうと、背負って外につれていった。

近くには千里《ちり》浜という美しい海岸がある。白砂におおわれた海岸線が、大海原と向き合ってど

こまでも伸びている。

いつもなら画帳を取り出して描き始めただろう。久蔵に波の描き方を教えるいい機会だが、信春は筆をとろうとしなかった。

静子へのすまなさばかりが原因ではない。絵に向かう心の醜さをまざまざと見たために、何もかもが嫌になったのだった。

五日目になると静子の顔に血の色がもどり、上体を起こせるようになった。

「あなた、ひとつ頼みごとをしてもいいですか」

熱心に洗濯物を干している信春に、遠慮がちに声をかけた。

「何か食べたいものでもあるか」

「そうではありません。久蔵と一緒に気多大社に行き、本復《ほんぷく》の祈願をしていただきたいのです」

身につけた品を納めてお祈りをすれば病気が早く治るらしい。静子はそう言って櫛を渡した。

「分った。任せておけ」

信春は二つ返事で引き受けたが、途中で七人衆の手の者に襲撃されるおそれがある。それに備えて宿の用心棒を借り受け、久蔵の手を引いて出かけた。

気多大社は邑知潟の北に位置している。

祭神は大己貴命《おおなむちのみこと》（大国主神《おおくにぬしのかみ》）で、出雲から舟で能登に渡来し、国土を開拓した後に守護神としてこの地に鎮まったという。

出雲大社と同様に、縁結びの神様として信仰を集めていた。

大鳥居をくぐって参道を進むと、神門がそびえている。堂々たる檜皮ぶきの四脚門が、能登一宮としての格式の高さを示していた。

神門をくぐると拝殿と本殿があり、境内のまわりに原生林がうっそうと生い茂っている。本殿の右脇には白山神社を、左脇には若宮神社をまつった社殿がある。

若宮神社は二年前に畠山義綱が能登への復帰を願って寄進したもので、一間社流造《いっけんしゃながれづくり》の小ぶりな建物ながら、畠山文化の粋《すい》を伝える優美な姿をしていた。

信春は久蔵とともに本殿の前まで進んだが、静子から頼まれた櫛をどこに納めたらいいのか分らなかった。

間違いなどしては、静子の本復の願いが神々に届かないおそれがある。誰かにたずねようとあたりを見回したが、広い境内に人影はなかった。

海からの風が原生林の梢をゆらして吹きすぎていくばかりである。

やむなく小銭とともに懐紙につつみ、賽銭箱に入れた。鈴をならし柏手《かしわで》を打って、どうか病気が一日も早く治りますようにと頭《こうべ》をたれて一心に祈った。

「父上、神さまはどこにいるの」

久蔵が手を合わせ、いぶかしそうに本殿を見上げた。

扉はぴたりと閉ざされ、長押《なげし》に彫られた二頭の龍が久蔵を見下ろしていた。

「神さまは天にも地にも、この森にもおられる。そうしてここで祈る者の願いを聞き届けて下されるのだ」

だからお前も母《かか》さまの病気が早く治るように祈りなさいと、信春はもう一度手を合わせて手本を示した。

「でも母さまは、神さまを見ておいでと言われたよ」

「それはな、心の目で見るということだ」

境内は静まりかえっている。風は梢をざわめかせ、太古の昔と変わらぬ音をたてている。

信春はふと魔に魅入られるような淋しさをおぼえ、久蔵の手を引いて足早に境内を出ようとした。

「失礼ですが、長谷川さまではありませんか」

拝殿の横を通り抜けようとした時、三十がらみの僧が玉砂利をふんで追いかけてきた。

「そうですが」

「私は正覚院《しょうがくいん》の尊海《そんかい》と申します。お見忘れでございますか」

親しげに笑いかけるが、どこで会ったのか思い出せなかった。

「七年前に十二天像を納めていただきました。その時に世話をさせていただいた者でございます」

「ああ、あの時の」

人の良さそうな丸い顔には見覚えがあったが、その時には有髪で水干を着ていた。だからとっさには思い出せなかったのである。

「大社と正覚院のかけ持ちなので、お分りにならないのは当たり前かもしれませぬな」

尊海が申し訳なさそうに僧形の頭をつるりとなでた。

この頃は神仏習合《しんぶつしゆうごう》なので、境内には正覚院という神宮寺（現在は高野山真言宗）の院坊がある。宮司と住職を同じ者がつとめることも珍しくなかった。

「あの折にはお世話になりました。お陰さまでご参拝の衆に大変喜んでいただいております」

「あれは畠山様からのご依頼で描かせていただいたものです。私の力ではありません」

描いたのは七年前、二十六歳の時だった。願主《がんしゅ》は誰か聞いていないが、畠山家の無事と繁栄を願うための寄進だということは分っていた。

「毎年お盆から一月ばかり、本殿にかかげてご覧いただいております。見ていかれますか」

「本殿は閉っていましたが」

「開け放しにしていると、海鳥が飛び込んで絵を傷つけることがあります。ですから人がいない時は閉めているのです」

すぐに開けるからと言われ、信春は見ていく気になった。

絵には近付くまいと決めた矢先である。だが楡原で畠山義続が絶賛してくれたことを思い出し、どの程度の出来だったか確かめてみたくなった。

尊海は正面の扉ばかりか脇の戸もすべて開けてくれた。

それでも庇を長く伸ばした本殿の中は、ひんやりと薄暗い。その空間を取り巻いて、十二天の神々の軸がかけてあった。

信春は一目見るなり絵の迫力に圧倒され、金縛りにあったように動けなくなった。

右手に剣を持ち左手に印を結んだ羅刹《らせつ》天、四面四手を持つ梵《ぼん》天、暗緑色の肌をして牙をむく伊《い》舎那《しゃな》天、右手に独鈷《どっこ》を持ち左手でこぶしを作る帝釈《たいしゃく》天……。

燃えさかる炎の光背を持つ十二天が、ずらりと信春を取り巻いて心の奥まで見すかす鋭い目を向けている。髪の毛一本おろそかにせず、精魂込めて描き上げた神々が、信春の力量や思惑をはるかに越えた実在感をもって迫ってきた。

信春は深い嘆息をもらした。

やはり自分には絵しかないのである。たとえ我欲や煩悩にあやつられた技であろうと、この道をつき詰めなければ生きる意味はない。そのことを自分の絵に教えられた。

「あっ、神さまだ」

久蔵が天井近くにかけられた軸に気付き、やはり母さまが言ったことは本当だったと喜んだ。

「母さまは、この絵のことを言ったのか」

「そうだよ。父上が描いたって」

静子は信春にこの絵を見せ、迷いから立ち直らせようと、櫛を納めに行ってくれと頼んだのだ。初めてそのことに気付き、しばし茫然としていた。

信春は尊海に礼を言い、新たな気力がみなぎるのを感じながら神門に向かって歩き出した。

「久蔵、お前も絵師になるか」

「うん、なる」

力強い声が静かな境内にひびいた。

「よし。それなら二人で頑張るぞ」

信春は生き返ったような気持になり、久蔵を抱き上げて肩車をした。

「わぁ、タカタカボンボだ」

久蔵が歓声を上げ、信春の頭にしっかりと手を回した。

途中で団子屋に寄り、静子の好きなみたらし団子を買って船宿にもどった。藍染めののれんをくぐろうとした時、店の中から出てきた男とあやうくぶつかりそうになった。

信春の後を尾けていた手代風の男だった。

信春はとっさに道を開け、久蔵を背中に隠した。

男は通りすぎた後で信春に気付き、あわてて逃げ出そうとした。

「おい、待て」

信春は長い腕をのばして襟首をつかんだ。

「お前は誰だ。なぜ私の後を尾けている」

「尾けてなんかいねえ。離しやがれ」

男はふり向きざまに腕をふり払おうとした。

信春は相手の胸倉を左手でつかみ、体を引きつけてねじり上げた。

「正直に言え。誰に頼まれた」

「言う。言うから離してくれ」

恐怖にかられた男は、手足をばたつかせながら悲鳴をあげた。

手を離すと、地面に尻もちをついてぜいぜいと喘ぐ。軽くねじったつもりだが、襟が喉にくい込んで息ができなくなっていた。

「騒々しい。何を騒いどるんや」

聞き覚えのある声がして、のれんの奥から長谷川宗高が現れた。養父宗清の弟で、信春と静子を別れさせようとした男だった。

「何やお前か。うちの者に手荒なことをしてもろたら困るな」

「これは叔父さんの店の」

「そうや。お前なんかに叔父と呼ばれる義理はあらへんけどな」

「こいつが私たちの後を尾けていたので、てっきり」

七人衆の手の者かと思ったのだった。

「わしが尾けさせた。盗っ人のような真似をしくさるからや」

「盗っ人とはどういうことです。私たちが何をしたと」

「邪魔や。さっさとどかんかい」

宗高は信春の肩を突き飛ばし、手代をつれて急ぎ足で立ち去った。

解せないことばかりだが、宗高を引き止めて問い質すことはできない。理不尽な思いをおさえて部屋にもどると、静子が上体を起こしたままうなだれていた。

「どうした。何かあったのか」

「お店の帳簿を見て、手形のことに気付いたそうです」

銀三貫の手形を、お通が無断でふり出していたことが分った。そこで手代に後を尾けさせ、取り返しに来たのだった。

「お前が病みついているのを知りながら、夜具を引きはがすように取り上げていったのか」

「返せ返せと口汚くお責めになるので、手形を叩きつけてやりました。ごめんなさい」

「謝ることがあるか。私も同じことをしたはずだ」

「でも、ここの支払いはどうなさるのですか」

「私が何とかする。くよくよせずにこれを食べて元気になれ」

そう言ってみたらし団子をさし出した。

「まあ、おいしそう」

静子は甘い醬油ダレがかかった団子を指で取り分けながら、

「どこの家《うち》にも変な人はいるものですね」

仕方なげにつぶやいた。

「そうだな。雪の日に吹きだまりができるようなものかもしれぬ」

「でも、かえってすっきりしました。悪いことをしたような後ろめたさがありましたから」

その日から憑《つ》き物が落ちたように静子の病状は回復し始めた。食欲も出て、洗濯も掃除もできるようになった。

問題は宿の支払いである。これだけの格式だと一泊五百文はくだるまい。十日も滞在しているのだから銭五貫文。およそ五十万円だった。

信春は無一文である。手形を当てにして手持ちを使いはたしたので、逆立ちしても鐚《びた》一文出てこなかった。

（絵で払おう）

絵師をめざして都に向かっているのだから、これくらいの銭をかせげなくてどうする。信春はそう決意し、仕舞っていた道具を取り出した。

画題は郭巨の図である。孝子郭巨が老母のために身をなげうって金銀を掘り当てたように、静子や久蔵のために死力を尽くさなければならない。

信春は床の間のふすま二枚をはずし、台をおき板を渡して足場を組んだ。

墨をたっぷりとすり、十数種類の筆をならべると、

（南無諸天善神《なむしょてんぜんしん》）

法華宗の守護神に祈りをささげ、息を呑んで最初の一筆を下ろした。

頭には狩野永徳が描いた郭巨の絵を焼きつけている。何度も何度も描き直し、ようやく会得した絵柄である。

それをふすま二枚におさまる大きさに構成しなおし、基本的な線を描いて骨格をかためていった。

絵は三日で仕上がった。

松の幹のひび割れや岩の根本に生えた草など、細部を入念に仕上げていると、

「お客さん、何をしてはるんでっか」

宿の主人が血相を変えて飛んできた。

「このふすまは都から職人を呼んで作らせた特注品でっせ。こないないたずら描きをして、いったい何のつもりですねん」

「まあ、見ていてくれ」

信春は足場を取りのけ、ふすまを元の位置にはめ込んだ。

思った通りの出来である。絵は床の間にぴたりと納まり、生き生きと輝きを放っていた。

「どうだ。気に入ってくれたか」

「見事なものでございますな。これは唐《から》の絵でございましょう」

主人もほれぼれと見入ったが、これを宿代のかわりにしてほしいと言うと、表情を一変させた。

「無茶言うたらあきまへん。宿代は四貫と五百文でっせ。それに道頓《どうとん》先生の薬代を合わせると、しめて五貫文。こんな絵と引き替えにできまっかいな」

「この間来た男に、銀の手形を奪い取られた。今は一銭もないのだ」

「そないなことを言われたかて困ります。こちらも商いですよって」

押し問答をしていると、当の道頓先生がやってきた。ちょうど診療代の回収に来たのだった。

「おお、これは」

道頓は驚きの声を上げ、吸い寄せられるようにふすまの前に座った。

都で曲直瀬道三に医術を学んだというだけあって、絵の鑑識眼もそなえていた。

「ご主人、いつの間にこのような名画を仕入れられた」

「それが、このお方が勝手に描かはりましたんや。しかも宿代はこれで勘弁してくれと言わはるんどっせ」

　どうにもなりまへんわと、主人は身をもみながら泣き事をならべた。

「宿の払いはいくらですか」

「四貫と五百文。先生のお薬代を合わせると、ちょうど五貫文になります」

「それでは不服だと、ご主人はおおせられるのですな」

「そりゃあそうですがな。銭五貫文どっせ」

「それなら私が五貫文、いや、落款《らっかん》を入れて下さるなら八貫文で買い取りましょう。それでよろしいな」

　大魚を逃がすまいと、道頓が性急に手元にたぐり寄せようとした。

　信春に異存はない。静子に目くばせを送って意を伝えると、ふすまの右下に署名をして袋形の印を押した。

「やはり長谷川先生でしたか。このような所でお目にかかれるとは」

　道頓は感激のあまり信春の手を取っておがみ上げた。

「あの、こちらのお方は」

　主人は意外ななりゆきに目を丸くしていた。

「長谷川信春先生ですよ。気多大社の十二天像を描かれたお方です」

あの十二幅の掛軸は都でも評判になっている。この襖絵を大名家や商家に持ち込めば、二十貫以上の値がつくはずだ。道頓は得意気に吹聴し、宿の主人を悔しがらせた。

翌朝、無事に精算を終えて出発しようとしていると、

「これから、どちらに向かわれますか」

主人が腰を低くしてたずねた。

「敦賀行きの船に乗ります」

先を急ぐ信春は、昨日のうちに船主と話をつけていた。

「都へ行かれるつもりですか」

「そうです。本山への御用をおおせつかっていますので」

「それなら見合わせた方がようございましょう。近江で浅井と織田の戦いが激しくなり、琵琶湖へ出る道が通れないそうですから」

敦賀から来た者たちがそう話している。だからもう少しここに留まって様子をみたらどうだと、掌を返したように低姿勢だった。

「そのかわり、もう一度襖絵を描いていただきとう存じます。何日ご逗留いただいても構いませんので」

もみ手をしながらしきりに引き止めたが、信春は応じなかった。一刻も早く京都に着き、本法寺に腰を落ちつけて画業に打ち込みたい。危険だからといって後込《しりごみ》してはいられなかった。

その日は東尋坊の沖をまわって三国湊に入り、翌日の午後に敦賀に着いた。

船を降りると馬借《ばしゃく》屋をたずねた。

敦賀から琵琶湖の海津《かいづ》まで、荷物を運ぶ運送業者である。近江の情勢については一番良く知っているはずだった。

「無理や。あっちには行けまへん」

馬借の頭はにべもなかった。

織田信長は浅井長政を攻めるために、五万の軍勢を北近江に侵攻させている。北国街道も厳重に封じているので、特別の許可を得た者しか入れないという。

「特別の許可は、どうしたら得られるのでしょうか」

「それは織田の武将に伝《つて》があるか、織田のために働くかやろ。わしらには無理なこっちゃ」

敦賀は信長と敵対している朝倉義景の所領である。それだけに織田方の警戒が余計にきびしいのだった。

来てみれば何とかなると思っていたが、状況は想像していた以上に切迫している。

どうしたものかと思案した末に、信春は法華宗の寺をたずねることにした。敦賀には妙蓮寺《みょうれんじ》という本法寺の末寺がある。そこに行けばもっと詳しいことが分るはずだった。

時節柄、他所者に対する寺の扱いはきびしかったが、本延寺の日便和尚の証明書のおかげで中に入れてもらうことができた。

しかも三人そろって庫裡に通され、五十がらみの住職が直々に応対に出てくれた。

「拙僧は日達《にったつ》と申しまして、日便さんの弟子でございます。本山で修行していた頃に、大変お世

話になりました」

「私は七尾で絵仏師をつとめておりましたが、このたび本法寺さまに修行に上がることになったのでございます」

「あなたのことは日便さんから聞いたことがあります。都の絵師にもひけを取らぬと、たいそう見込んでおられました。それにしてもどうしてこんな時期に」

都に行くことにしたのかと、同情とも非難ともつかない渋面を作った。今近江に行くのは、死地に飛び込むようなものだというのである。

「事情があって七尾を退去いたしました。それゆえ本法寺さまを頼り、絵師の修行に打ち込もうと思っております」

どうにかして都に行けないだろうかと、信春は粘り強くたずねた。

「気の毒じゃが、無理でしょうな」

「戦はそれほど激しいのでしょうか」

「信長という人は、第六天の魔王でございます。欲界の頂《いただき》に居て三界を領し、一切衆生をば意のままにしようと目論んでおりまする」

それゆえ敵対する者は決して許さないし、浅井や朝倉を亡ぼすまで戦をやめないだろう。日達はそう宣告した。

「しかし信長公は、昨年末に帝《みかど》の勅命によって浅井、朝倉と和議を結ばれたと聞きました。その場に公方《くぼう》さまが立ち会われ、証人になられたというのに、どうしてそれを踏みにじることができ

るのでしょうか」

「第六天の魔王にとって、天子さまも公方さまも物の数ではございません。もし意のままにならなければ、天子さまを捨て公方さまを亡ぼすこともためらわないでしょう」

日達が深く危惧するほど、信長は旧体制を打破する方針を明確に打ち出し始めていた。

昨年の十二月十四日、正親町天皇の勅命によって浅井、朝倉と和議を結んだ信長は、近江の占領地の大半を放棄して岐阜城に引き上げた。

ところがこれは北の浅井、朝倉、南の石山本願寺や三好三人衆から挟撃《きょうげき》されることを避けるための苦肉の策で、最初から勅命に従うつもりはなかった。

そのことはこれ以後の信長の行動が如実に示している。

和議から半月後、元亀二年（一五七一）の正月を迎えた信長は、元旦の参賀におとずれた諸将に、今年の目標は比叡山延暦寺を攻め亡ぼすことだと明言している。

浅井、朝倉が比叡山に籠城した時、延暦寺は再三の勧告を無視して信長に敵対した。その報復をするためだが、目的はそればかりではなかった。

延暦寺は浅井、朝倉と石山本願寺、三好三人衆の勢力圏の中間に位置し、両者の連携をはかる鎖の役割をはたしていた。

これを断ち切り、兵員の移動や軍需物資の輸送をはばむことは、信長にとって決定的に重要だったのである。

「信長の軍勢が余呉や木之本で何をしたか、お聞きになりましたか」

日達和尚の温和な顔が、怒りのために次第に上気していった。

「いいえ。聞いておりません」

「人を巻き狩りにかけたのです。村々を大軍で取り巻き、包囲の輪をちぢめながら一人も残さず殺していきました」

「女や子供もですか」

「そうです。妊婦も乳飲み児も容赦はしません。僧も尼僧も宮司も聖《ひじり》も、ただその村にいたというだけで虫けらのように殺され、家を焼かれてしまったのです」

「まさか。そんな惨《むご》いことを」

武士にも情《なさけ》はある。戦に関わりのない者、命乞いをする者は殺《あや》めてはならぬと、幼い頃から奥村の父に教えられたものだ。

そうした倫理観から見れば、信長の所業は武士の道からはずれた許しがたい殺戮《さつりく》だった。

「だから信長は、第六天の魔王だと言うのです。まともな人間であれば、こんなことができるはずがありません」

日達は憤りのあまり涙を流し、犠牲者の冥福を祈って手を合わせた。

「あの……、若狭から都に行くことはできないでしょうか」

話の間、信春はそのことばかりを考えていた。

「無理です。以前は朽木《くつき》谷を抜け、途中峠をこえて都に入ることができました。ところが半年ほ

ど前に朽木元綱《もとつな》が信長の軍門に降り、道を厳重に封じております」

「それでは都との連絡は、まったく取れないのでしょうか」

「いいえ。山の道だけはまだ残されています」

敦賀から野坂岳にのぼり、若狭と近江の国境の尾根を伝い、朽木谷の西につらなる尾根を抜ければ、比叡山までたどりつく。

そうして八瀬や北白川に下りれば、信長軍の警戒網をくぐり抜けることができるという。

これは越前白山と比叡山を結ぶ修験者《しゆげんじや》の道であり、三好三人衆や石山本願寺が浅井、朝倉に弾薬を補給している軍用路でもあった。

「そこを通ることはできるのでしょうか」

「あなた一人なら行くことができるかもしれません。しかし、妻子づれではとても無理です」

「しばらくお待ち下さい。家内と相談して参ります」

信春は別室で待っている静子のもとに行き、一人で都に行って本法寺と連絡をつけてきたいと言った。

「都へ行くには山の道を通るしかない。お前や久蔵にはとても歩けない道だ。そこで私が一人で都に行き、本法寺さまに住まわせてもらえるように頼んでくる」

「その間、わたくしたちはどうするのですか」

静子は港で買ったおにぎりを久蔵に食べさせていた。

「この寺に置いてもらえるように、日達和尚に頼んでみる。本延寺の日便和尚のお弟子だそうだ

から、力を貸していただけるはずだ」

「都まで往復するのに、どれくらいかかるのですか」

「そうだな。ひと月くらいだと思う」

信春は当てもないことを言った。

戦乱のさなかをくぐり抜けるのだから、途中で何が起こるか分らない。日堯上人あての紹介状を書いてもらったが、本法寺でどんな扱いを受けるかも分らないのである。

だが信春は早く都に出たい一心で甘いことを言い、静子を説得しようとした。

「その間、久蔵とどうやって暮らしたらいいのでしょう」

「出発するまでに私が絵を描く。越中富山の妙伝寺から、鬼子母神十羅刹女像を頼まれていただろう。あれを妙伝寺にとどければ、銭五貫文はもらえる。それを滞在費として納めてくれと言えば、寺にも異存はないはずだ」

「そんなにうまくいくでしょうか。まだ描いてもいないのに」

静子は久蔵が食べ残したおにぎりを口に入れ、うらめしそうな顔をした。

「それなら心配ない。頭の中に新しい絵柄がちゃんと出来上がっている」

信春は静子と久蔵の寝顔を見ながら得た着想を夢中で語った。

十羅刹女は鬼子母神の眷属《けんぞく》ではなく娘なのだから、このように描くのだと、画帳と木筆を取り出して下絵まで描いてみせた。

静子は哀しみをたたえた深い目で画帳を見ていたが、

「良かったですね。これならきっと妙伝寺さまに満足していただけるでしょう」

気丈に笑顔を作って、久蔵とここで待つことを承知した。

信春はさっそくこのことを日達和尚に話し、了解してくれるように頼み込んだ。

「承知いたしました。ただし、絵にそれだけの値打ちがなければこの話はお断わりします」

妙伝寺とは古い付き合いなので、中途半端な絵は届けられない。駄目なら二人を七尾に戻すと、日達は手厳しいことを言った。

寺の塔頭に泊めてもらい、翌日から絵の制作にかかった。構想はすでにできている。それに従って下絵を描いたが、中心になる鬼子母神の表情が決まらなかった。

着想を得た夜、信春は細部を描こうとして月の光を入れ、病み疲れた静子の顔を見た。まるで死人のように青ざめた顔に愕然とし、己れの罪深さを恥じて下絵を破り捨てた。

構想はそこで止っている。それゆえ表情をどうするか、一から考え直さなければならなかった。

「すまないが、久蔵を抱いてくれないか」

信春は静子と久蔵に姿勢をとらせ、手がかりを得ようとした。

静子は快く応じたが表情は冴《さ》えなかった。先の不安に押しつぶされそうなのだから、さすがにいい顔ばかりはできないのだった。

それでも久蔵を抱く手はやさしく、信春に向ける目は信頼にみちている。運命の過酷さに立ち向かう芯の強さがそこにあった。

（これだ）

信春は夢中で筆を走らせた。

慈悲とは悲しみを慈しむことだ。鬼神や人間のどうしようもなさを、御仏は深いあわれみをもって救われる。その感化を受けた鬼子母神も、哀しみと憂いをたたえた限りなくやさしい表情をしているはずである。

信春は絵を描きながら、強い酒に酔ったように陶然となった。

今まで知らなかった強く深い愛情が、歓喜となってわき上がってくる。それは天空の高みで法を説かれる如来の光に触れた時と同じ歓びだった。

描き手の心はそのまま絵に伝わる。鬼子母神の顔からは目に見えぬ光明が発し、まわりを取り巻く十羅刹女ばかりか背後の日天や月天にまで感化を与えていった。

絵は二日で仕上がった。

「なるほど。さすがは日便さんのお目にかなった方ですな」

日達和尚は深くうなずき、この絵はすぐに富山の妙伝寺にとどけると請け負った。

「都からお戻りになるまで、奥方とお子さまを責任をもって預かります。山の道は不案内でしょうから、寺の者に供をさせましょう」

ただし、ひとつだけ頼みがあると言った。

「何なりと、お申し付け下さい」

信春は全力をつくして絵を描き上げた興奮から覚めきれないままだった。

「本法寺の日堯上人にあてた書状をとどけてもらいたいのです。返信があるなら、それも持って

きていただきたい」

「承知いたしました。その書状はいつ仕上がるのでしょうか」

「もう用意してあります」

日達が蠟《ろう》で封じた立て文をさし出した。

信春はすぐに発つことにした。ぐずぐずしていると戦が激化し、都に行くのがいっそう難しくなりそうだった。

「これはお持ちにならなくていいのですか」

静子が画材を入れた行李を差し出した。

「本法寺さまの了解を得たなら、すぐに迎えに来る。絵を描いている暇などあるまい」

持っていきたい気持はある。だが、静子を安心させるために残していくことにした。

「戦のさなかですから、山の道も安全とはいえないでしょう。危ないことには近寄らないで下さいね」

「分っている。お前たちを残しているのに、無分別なことをするものか」

塔頭の玄関先に案内役の源八が待っていた。えらの張った獅子頭のような顔をした男で、背は低いが肩幅の広いがっしりとした体付きである。

「都までは何日かかる」

「わしらの足なら二日、おたくと一緒なら三日というところでしょうか」

源八は木地師《きじし》の出身で山の中で生きてきた。本拠地は若狭だが、このあたりの山のことはすべ

て知っているという。

「私も足には自信がある。遅れないようについていくよ」

静子と久蔵に見送られて意気揚々と出発したものの、信春は一時《いっとき》もしないうちに自分の甘さを思い知らされた。

平坦な所を歩いている時にはそれほどでもなかったが、山道に入ると源八との脚力の差は歴然としていた。信春より一尺ちかくも背が低いのに、地面に吸いつくような足取りで楽々と登っていく。

信春は置き去りにされる焦りを覚えながら、物も言わずに懸命についていった。そんな目にあって初めて、七尾から無理をしながら歩いてきた静子の気持が分った。

足弱を気づかってゆっくり歩いてきたつもりだが、先を急ぐあまり、気がつくと静子よりかなり前を歩いていた。

足を止めて待っている間も、やさしい気持でいたとばかりは言えないのである。その配慮のなさが、静子にいっそう無理をさせる原因になっていたのだった。

野坂岳から南につづく尾根をひたすら歩き、三国山の山頂まで来た時、

「ここらでひと休みしますか」

源八が足を止めて背負った荷物をおろした。

信春はほっと息をつき、竹筒に入れた水を口にした。

「ごらんなさい。あれが近江の海です」

指し示す先に琵琶湖が広がっていた。

満々と水をたたえた巨大な湖が、晴れた空を映して青々と横たわっている。

米の収穫を前にした平野は黄金《こがね》に色づき、山々は紅葉に包まれている。

人の世の争いなど歯牙にもかけぬ雄大さであり、太古以来の調和をたたえたのどかさだった。

「あっちが若狭、こっちが敦賀です」

北西に若狭湾や三方五湖《みかたごこ》、ほぼ真北に敦賀湾が広がっている。こうして見ると、日本海と琵琶湖は意外なほど近かった。

「ここは若狭、越前、近江の国境《くにざかい》です。それで三国山《みくにやま》といいます」

源八は無愛想な顔付きのわりには話好きである。しかも柿の大木にするすると登り、たわわに実った柿を枝ごと取ってきてくれた。

「お山に入ったら焦りは禁物です。人の欲でどうこうできるほど、甘くはありませんから」

信春の胸中を見透かしたようなことを言い、大口を開けて柿にかぶりついた。

信春も柿を口にした。先の尖った小ぶりの実だが、ごまがたっぷりと入って甘みが強い。さくさくとした歯応えが心地よく、二つ三つ食べるうちに体に力がみなぎってきた。

その夜は栗柄《あわがら》峠のちかくで一夜をすごした。

若狭の美浜と湖畔の牧野をつなぐ道で、人の気配を間近に感じることができる。そうした場所がなんとなく安心なのだった。

翌日夜明けとともに出発し、順調に三十三間山《さんじゅうさんげんざん》をこえたが、若狭街道を見下ろせる場所まで

来た時、源八が急に立ち止った。

「いかん。奴らです」

信長配下の軍勢が関所をもうけ、通行人を取り締っていた。

白石明神社の境内に陣をとり、百人ばかりが鎧を着たものものしい姿で警戒にあたっている。

その先には熊川の宿場が軒をつらねていた。

若狭街道は別名九里半街道という。小浜と今津《いまづ》をむすぶ九里半、約三十八キロの道で、塩津街道とならぶ琵琶湖水運の要路だった。

関所をもうけているのは、街道と山の道が交叉する所である。信長軍が比叡山と越前の間の通路を断とうとしているのは明らかだった。

「今までこんなことはありませんでした。どうやら奴らも気付いたようです」

源八は何度もこの道を通っている。浅井、朝倉へ弾薬の補給をしている者たちの通路だということも知っていた。

「どうする」

信春は初めて信長軍を見て息を呑んだ。

装備の立派さは、越前の軍勢とは較べものにならなかった。

「これでは道へ出られません。夜になるのを待ちましょう」

闇にまぎれて通り抜けるつもりだったが、信長軍は夜になってもかがり火をたき、警戒態勢をゆるめなかった。

「何か企んでやがる。そうでなければ、これだけの兵を出すはずがありません」

少し様子をさぐってくると、足音もたてずに山の斜面を下っていった。

信春は少し休んでおこうとしたが、胸騒ぎがして眠れない。落葉のつもった地面にあお向けになり、空にまたたく満天の星をながめていた。

一番明るい北極星が、衆生《しゅじょう》を悟りに導く如来の星だった。

やがて源八が息せき切ってもどってきた。

「急ぎましょう。近々延暦寺との戦が始まるようです」

だから厳重に包囲し始めたのだという。戦になる前に比叡山を抜けなければ、都にたどり着くことができなかった。

源八はすぐれた案内人である。寒風川《さむかぜがわ》ぞいの道に下りて関所を迂回し、難なく山の尾根の道にたどりついた。

水坂《みさか》峠にさしかかった頃、夜が薄水色に明けはじめた。岩に腰を下ろしてひと息ついていると、前方から鈴掛《すずかけ》の衣をまとい笈《おい》を背負った山伏が二人、錫杖《しゃくじょう》の音をたてながらやってきた。

比叡山には千日廻峰《せんにちかいほうぎょう》行という荒行がある。

多い日は二十里の道程を歩き通す過酷な行で、天台宗修験派の山伏たちはこの行の成就に向けて日々鍛練をつんでいる。

ところが比叡山が浅井、朝倉を支援するようになってからは、彼らは弾薬を運ぶ役目をになうようになった。笈に火薬や鉛を入れ、尾根の道を通って越前一乗谷や北近江の小谷城にとどける。

彼らは暗夜でも自在に山中を走るので、信長軍といえどもこれを阻止することはできなかった。

「街道に百人ばかり。朽木元綱の手勢でございます」

源八が山伏にそれとなく伝えた。

二人は立ち止まりも見向きもせず、乱れのない足取りで通り過ぎていった。

急ぐと決めると源八は容赦なかった。百里ケ岳、三国岳、経ケ岳、皆子山《みなごやま》と、琵琶湖にそってつづく尾根の道を飛ぶように走り、夕方には途中峠にたどり着いた。

ここから京街道を通れば、大原、八瀬を抜けて洛中に入ることができる。ところがこの峠にも百人ばかりの警固の兵がいて、山道を行く者をきびしく改めていた。

「どうします。本法寺さまへの使いだと言えば、通してくれるかもしれませんが」

「いや、比叡山まで足をのばし、監視のない所から都に入った方がいい」

信長は第六天の魔王だという日達和尚の言葉と、七尾を所払いにされた負い目が、信春に信長軍の前に出ることをためらわせた。

万一捕われて七尾に身許を照会されたら、十中八、九無事ではいられないはずだった。

警戒の目をすり抜け、夕方には仰木峠に着いた。近江の堅田《かただ》と洛北の大原を結ぶ道で、峠には茶店もあった。

ここで温かい団子を買い、久々に人心地をついていると、

「横川《よかわ》に知り合いの宿坊があります。すぐそこですから、今夜はそちらに泊めてもらいましょう」

源八が手早く団子を口にほうり込んで歩き始めた。

案内したのは恵心《えしん》堂の宿坊だった。信者や参拝者の宿泊用に作られた大きな建物だが、長い歳月にさらされ、壁や床に穴が開いていた。

宿坊には三十人ばかりの先客がいた。その半数は仰木峠をこえて近江と京都を往来する行商人。半数は遠国から参拝に来た者や所願あって参籠《さんろう》している者だった。

宿坊の仏座《ほとけのざ》には阿弥陀如来像が安置してあり、右の手に結ばれた五色の布が板の間に向ってたれている。これは恵心堂を開いた源信《げんしん》が、この糸を握り弥陀の救いに身をゆだねて成仏した故事にちなんだものだった。

翌九月十二日、信春は地鳴りのような音で目をさました。

山の四方から歓声とも罵声ともつかぬ得体の知れない声が聞こえてくる。何万人とも知れぬ凄まじさで、山が鳴動しているかと錯覚したほどだった。

あたりはまだ薄暗い。十人ばかりが異変に気付いて体を起こし、不安そうに顔を見合わせている。他の者はぐっすりと眠り込んだままだった。

「戦だ。信長が攻めて来るぞ」

表で叫ぶ声がした。寺の僧が危険を知らせに走り回っているのだった。

「いくら信長かて、ここまでは来《け》ぇへんやろ」

初老の行商人が誰にともなくつぶやいた。

比叡山は守護《しゆご》不入《ふにゆう》の特権に守られている。武家勢力が立ち入りを禁じられた聖域だった。

やがて鉄砲のいっせい射撃の音がした。何千挺とも知れぬ鉄砲の射撃音が、ふもとのあちこちから渦を巻くように聞こえてくる。

それがやむと再び怒濤のような雄叫《おたけ》びがあがった。軍勢の鬨《とき》の声だと、はっきり分る近さだった。

「皆さま、お逃げ下され。信長が攻めて来ます」

まかないの尼僧が血相を変えて走り込んできた。

「そないな阿呆な。ここはお山やで」

さっきの行商人が、不安にひきつった顔に笑みをうかべた。

比叡山延暦寺は伝教大師最澄《さいちょう》が開山して以来、王城の鬼門を守る鎮護《ちんご》の山として尊崇《そんすう》を集めてきた。そのお山に兵を向けるのは、朝廷に牙をむくのと同じである。

そんなことをする人間がどこにおるんやと、都人らしい行商人は言いたいようだった。

「すでに東塔では合戦が始まっています。早く早く」

尼僧は切迫した声で訴え、別の宿坊に急を知らせに行った。

「逃げましょう。ただ事ではないようだ」

源八が手早く荷物をまとめて立ち上がった。

「先に行ってくれ。ちょっと様子を見てくる」

信春は東塔に様子を見に行くことにした。

「何を言ってるんです。殺されに行くようなものですよ」

寺で待っている奥方やお子さんはどうするんだと、源八が腕をつかんで引き止めた。

「大丈夫だ。すぐに戻る」

信春は源八の手をふり切って走り出した。

異常な出来事に近付き、物事の本質を見極めたいという思いに、どうしようもなく突き動かされていた。

横川から根本中堂《こんぽんちゅうどう》がある東塔までは、およそ一里である。そこを走る間に、状況はいっそう悪化していた。

坂本道から攻め上がった信長軍は、すでに慈覚大師の廟《びょう》のあたりまで迫っていた。ここは延暦寺の大手門にあたる所で、二重に虎口《こぐち》をきずいて守りを固めている。

門の内側では僧兵たちが弓や槍、投石で必死に防戦しているが、寝込みを襲われたために人数も少なく鎧を着ている者もいない。

信長軍は鉄砲を打ちかけ火矢をあびせ、塀に梯子をかけて次々と境内に飛び込み、手当たり次第に僧兵を斬り殺していく。

その先陣をつとめるのは、水色の地に桔梗《ききょう》の紋を染め抜いた明智光秀《あけちみつひで》の手勢五千人だった。

境内には二千人ちかい老若男女がいた。山のふもとの坂本や堅田に住んでいた者たちが、信長軍の急襲を受けて逃げ上がってきたのである。

彼らは延暦寺の荘園に住んでいる者やその家族である。非戦闘員であることは言うまでもない。

だが信長軍は情容赦なくなで斬り（皆殺し）にするので、危険をさけるために取る物も取りあえ

ず山道を駆け上がってきたのだった。

その中でも壮健な者たちは、家族や寺を守ろうと信長軍を押しとどめようとした。徒跣《かちはだし》のまま、持ちなれぬ武器を手にして軍勢の前に立ちはだかる。武器を持たない者は相手に組みつき、少しでも家族が逃げる時間をかせごうとした。

だが信長軍は圧倒的に優秀である。最新式の装備に身をかため、百戦錬磨の戦法で着実に任務を遂行していく。

歯向かうことも降伏することもできぬと知った者たちは、蜘蛛の子を散らしたように西塔や横川に向かって逃げ出した。

根本中堂や阿弥陀堂、大講堂、戒壇院《かいだんいん》などの守りについていた僧たちも、恐怖が伝染したように我先にと走り出した。

御堂の中には、御仏の救いに身をゆだねて踏みとどまっている老僧、高僧、修行僧も多い。信長軍はそれを知りながら、次々に火を放った。

用いた武器は棒火矢だった。鉄の矢の先に火薬筒をむすびつけて鉄砲で打ち込む。西洋渡来の新兵器である。

矢は御堂の扉や長押に突き立ち、火薬筒が爆発的に燃え上がって信仰の場を炎に包んでいく。

根本中堂は伝教大師の開山以来、法灯を受けついでいる。世の片隅を照らす者が国の宝だという大師の信念を守り伝えるためである。

この法灯があったからこそ、日蓮も法然《ほうねん》も親鸞《しんらん》も世に立つことができたのである。

信長軍の棒火矢はこうした伝統まで焼き払った。そうして炎から逃れようと表に飛び出す者がいると、一人も逃さず首をはねた。

信春が伝教大師御廟のあたりから目撃したのは、こんな地獄絵のような光景だった。

坂道を登って多くの者たちが逃げてくる。それを追って返り血で真っ赤になった武者たちが、刀をふりかざして迫ってくる。

この光景の凄まじさに気を呑まれ、信春は胆を飛ばして立ちつくしていた。

「何をしている。早く逃げろ」

誰かが横を走り抜けながら叫んだ。

信春ははっと我に返った。すでに何百人もが先を走り、桔梗の旗を背負った軍勢が目の前に迫っていた。

信春も群衆にまぎれ、横川へ向かった。にない堂の脇を抜け、杉林の中の一本道をまわりの者に突き飛ばされそうになりながら走りつづけた。

誰もが恐怖にかられて半狂乱である。そして皆と行動をともにしていれば安全だと、本能的に身を寄せ合っている。

ところが信春はふと、「信長は人間を巻き狩りにかけた」という日達和尚の言葉を思い出した。

横川の向こうの仰木峠にも信長軍がいたのだから、このままでは挟み撃ちにされかねない。そのことに気付き、群衆から離れて大黒山の中腹まで逃げ上がった。

杉の巨木の陰に身を隠してひと息ついていると、頭上でけたたましい獣の声がした。

見上げると、大きな猿が全身を使って枝を揺らしていた。ここは我らの縄張りだから近付くなと威嚇しているのである。

信春は小石をつかんで追い払おうとしたが、よく見るとまわりの木にも何百匹という猿がやどり、敵対すればいっせいに飛びかかる構えをとっていた。

猿は比叡山の神獣である。これまで手厚く扱われてきたので人に危害を加えることはなかったが、信長軍の乱入におびえて攻撃態勢をとっているのだった。

信春は小石をそっと下におき、背中をまるめてうずくまった。体を小さく縮めることで、敵対する意志がないことを示したのだった。

しばらくすると、横川へ走っていた者たちが逃げもどってきた。堅田から仰木峠に上がってきた木下秀吉勢に行く手をはばまれ、鉄砲と弓に追い立てられていた。

もどる者と進もうとする者がぶつかり、どうしていいか分らないままもみ合っている所を、秀吉勢と光秀勢が前後から襲いかかった。

羊の群れを襲う狼さながらである。群の外側にいる者から手当たり次第に斬り殺していく。

道からそれて逃げ出そうとする者たちもいたが、戦馴《いくさな》れした武者たちは余裕をもって先に回り込んでいる。まるで渦を巻く濁流のように、逃げまどう者たちを呑み込んでいった。

信春はなす術《すべ》もなく惨状を見ていた。

怒りと哀しみに胸が張り裂けそうだが、なで斬りを止めることはできなかった。

ただこの現実をしっかりと見据え、自分の表現に生かさなければならない。それが絵師として

できる唯一の供養だと、血の涙を流しながらまたたきひとつしなかった。

「あそこにもいるぞ。逃がすな」

秀吉勢の足軽が、信春に気付いて矢を射かけた。

信春はとっさに杉の巨木の陰に飛び込んだ。そのままいたら確実に射抜かれていた。それほど弓勢《ゆんぜい》は強く、狙いは正確だった。

「よい獲物じゃ。巻け巻け」

頭らしい鎧武者が下知《げじ》し、二十人ばかりの弓隊が包囲の陣形をとりながら迫ってきた。

このままここにいては危ない。だが巨木の陰から出たならいっせいに矢を放たれる。絶体絶命の窮地におちいった時、頭上の大猿が枝を揺らしながらけたたましい声をあげた。

我らの縄張りに近付くな。そう威嚇したのだが、相手が悪い。足軽の一人が素早く弓を引きしぼり、大猿の胸の真ん中を射抜いた。

大猿は揺らしていた枝にはじかれ、ほうり投げられるように地上に落ちた。

と、次の瞬間、数百匹の猿がいっせいに木から駆け下り、秀吉勢に襲いかかった。

弓隊の足軽たちは刀を抜いて防戦したが、何匹もの猿に次々と飛びかかられ、なす術もなく本隊のほうに逃げもどった。

信春はその隙に山を駆け尾根をこえ、京都の方に向かって下り坂をひた走った。落葉で足がすべる。何度も尻もちをつき、すべり落ち転がり落ちしながら、懸命に逃げつづけた。

軍勢の喚声や鉄砲の音が遠ざかり、ようやく人心地がついてひと休みしていると、下の方から

叫び声がした。

十人ばかりの僧が、織田信忠《のぶただ》勢二十人ばかりに取り囲まれていた。木瓜《もっこう》紋の旗を背負った足軽たちが、槍や刀で襲いかかっている。

僧の中には胴丸をつけ長刀を持っている者もいたが、武士たちとの腕の差は歴然としていた。

輪の中に、三歳くらいの子供を抱いた長身の僧がいる。それを守ろうと必死に立ち向かうが、墨《すみ》の衣を朱《あけ》に染めて討ち取られていく。

信春にはその子が久蔵に見えた。そうして信長軍のやり方に猛烈な怒りを覚えた。

こんなことを許してはならぬ。この子を見殺しにしたなら、人として生きる資格はない。心の声がそう告げた。

信春はあたりを見回し、斜面に突き出た岩を信忠勢に落としかけた。

ひと抱えもある岩が、雑木をなぎ倒して転がっていく。

その岩に足軽たちがひるんだ隙に、信春は子供を抱いた僧を庇って立ちはだかり、長刀を受け取って大車輪にふり回した。

奥村家で鍛え抜いた、凄まじいばかりの腕前だった。

第三章　盟約の絵

天下を震撼《しんかん》させた織田信長の比叡山焼討ちから半年が過ぎ、世の中はようやく落ちつきを取りもどしつつある。僧俗男女三千人以上が殺された比叡山にも春の風が吹き、山桜が清楚な花をつけていた。

鴨川の土手に植えられた桜も満開で、河原には多くの花見客が集まっている。それを目当てに物売りが店をならべ、遊芸人たちが客を呼び込んでいた。

京の都は以前と変わらぬ活気を取りもどしているが、比叡山焼討ちによって大きく変ったことがふたつある。

ひとつは賑わいの中心が鴨川東岸の祇園や六波羅から、西岸の河原町に移ったことだ。以前は鴨川の水運に従事する者たちが東岸に船をつないでいたので、船宿や商家、寺社、遊廓などがその周辺に建ち並んでいた。

ところが比叡山の末社がことごとく焼かれ、寺社に使役されていた者たちがなで斬りにされた

ために、あたりが修羅の巷《ちまた》になった。

それを厭《いと》った船主たちが西岸に船をつけるようになった。船宿や商家、遊廓も後を追うように引き移り、現在の河原町の元となる町をきずいた。

中でも栄えたのは、東海道の粟田口《あわたぐち》にあたる三条通から、伏見口になる五条通までである。大津方面からの物資をこの地に運び込むために、鴨川にいくつもの橋がかけられた。三条、四条、五条の大橋ばかりか、その間にも細い橋をわたした。

当時洛中に住むようになっていた宣教師たちはこれを見て、何と橋《ポンテ》の多い町だと驚き、ポンテ町と呼ぶようになった。それが先斗《ぽんと》町の名の由来になったという。

もうひとつは、件《くだん》の宣教師たちに関わることである。

キリスト教が伝来して二十年の間、幕府も朝廷も洛中での布教と宣教師の居住を許さなかった。キリスト教が日本古来の神仏の教えと相容れないからで、時の正親町天皇も勅命を発してこのことを禁じておられる。

ところが信長は従来の方針を無視し、永禄十二年(一五六九)四月八日に、宣教師ルイス・フロイスに洛中での布教と居住を許可した。

この頃から宣教師が洛中に住むようになり、信者になる者も少しずつ増えていたが、信長の比叡山焼討ち以後、その数は飛躍的に増加した。

信長が神仏を冒瀆《ぼうとく》したにもかかわらず、神罰や仏罰はあたらない。それどころか勢いは盛んになる一方である。神道や仏教の権威を金科玉条にして庶民に君臨してきた朝廷や寺社も、唯々

諾々と信長に従っている。

この状況を見れば、神仏の教えなど屁のようなものだという考えが蔓延《まんえん》したのもいたし方あるまい。その傾向は旧体制下でしいたげられていた者たちや、信長のもとで新しい体制をきずこうとしている者ほど顕著だった。

こうした世相の混乱に乗じて、宣教師たちは次々と信者を獲得していった。

西洋渡来の信仰にいち早く飛びつく新らしもの好きもいたし、信長の方針に従うことで有利な地位を占めようと目論む武士や商人もいた。

かくてキリシタンは流行《ブーム》になり、洛中のあちこちにだいうす町が出現した。だいうすとは天主《デウス》のことで、宣教師や信者が住む町をそう呼んだのである。

宣教師ゆかりの先斗町にもだいうす町があった。祇園から引っ越してきた遊廓の主人が、信者になって大臼屋《だいうす》という屋号をかかげている。

しかしこれは信仰のためというより、流行に乗ってひと儲けしようという商人らしい才覚と、本人の弁によれば、

「キリシタンになった妓《こ》たちは、文句も言わんとよう働きますよってな」

という労務管理上の深謀によるものだった。

この大臼屋に向かう細い道を、浮かぬ足取りで歩く大柄の男がいた。髪もひげも伸び放題で、つぎはぎだらけの薄汚れた着物をまとっている。

比叡山から命からがら脱出した長谷川又四郎信春の、落ちぶれはてた姿だった。

信春は画材を入れた木箱を、肩から斜めにかけている。常に菅笠《すげがさ》をかぶっているのは、顔を見られないための用心だった。

信春は大臼屋の勝手口から、店の者に声をかけた。

「丸山無見斎でござる。開けていただきたい」

使いなれた変名を名乗ると、店の手代がすぐに奥に案内した。

離れの部屋で、着飾った芸妓が行儀よく待っていた。頬がふっくらとして目の大きい、十七、八ばかりの娘だった。

「花扇いいます。先生、お頼み申します。美しゅう描いておくれやす」

主人の徳左衛門から言いふくめられているのか、花扇は深々と頭を下げた。

「今日は下絵だ。手間は取らせぬ」

信春はにこりともせず画帳を取り出し、木筆で花扇の輪郭を描き始めた。

目鼻立ちの造作が大きい派手な顔立ちである。ぬれたような黒い瞳と、下唇が厚く意地の強そうなところに特長がある。まだ若いが、大臼屋でも五本の指に入る売れっ子だった。

信春は時折花扇に声をかけ、表情が固くなるのをさけながら半時ほどで描き上げた。後は彩色をするばかりだが、絵具を使う細かい作業なので仕事場にもどって仕上げることにした。

この絵を二十も三十も描き、扇にして大臼屋に納める。それが今の信春の口を糊《のり》する方便《たつき》だった。

「それでは十日後に」

三十本の扇をとどけると手代に伝えて店を出ようとしていると、

「丸山先生、お待ち下さい」

酒肴の用意をしたのでたまにはどうかと、主人の徳左衛門が引き止めた。

「お陰さまで先生の写し絵が大評判でおましてな。あちこちから注文が来て、たんまり儲けさせていただいとります。そのお礼と申しては何ですが、花扇に酌をさせますよって」

その先は共に寝るなり遊びに行くなり、好きにしてもろて結構でっせと匂わせるが、信春は先を急ぐからと断わった。

徳左衛門は女衒《ぜげん》上がりの油断も隙もない男である。酒を呑ませてどんな仕事をもちかけようとしているか、おおよそ察しがつく。

それに敦賀に残してきた静子や久蔵を迎えに行くまでは、酒を断つと心に誓っていた。

鴨川ぞいの土手の道を、信春は北に向かった。桜並木は満開で、今を盛りと妍《けん》を競っている。河原では花見客が集まり、のどかに弁当を広げている。輪になって酒を飲んでいる者や、遊芸人の歌や踊りに目を奪われている者もいる。

だが信春には、そうした光景が無縁のものとしか思えない。この世のすべてが闇におおわれているようで、花も薄墨色にしか見えなかった。

頭の中には半年前の地獄絵図がこびりついていた。

舞台となった比叡山は、今も沈黙をたもって都の鬼門にそびえている。それを目にしながら享楽にうつつを抜かす者たちが、我欲にとらわれた亡者としか見えなかった。

（なぜ忘れたふりをする。なぜあの事実に向き合おうとせぬ）

そう叫びたい思いを抑えて、うろ覚えの道を仕事場がある上立売《かみだちうり》に向かっていった。

にわかに建てられた武家の御殿にさえぎられ、どこをどう歩いたか分らないうちに、高倉通と一条大路の辻まで来ていた。

一条大路の北には仙洞御所の塀がつづいている。西のはずれに八重桜の巨木があり、花をつけた重たげな枝を塀の外まで伸ばしていた。

信春は見るともなしにそれを見上げ、胸を打たれて立ちつくした。

青い空を背景にして咲きほこる八重桜は、長谷川家の庭にあったものと同じだった。

宗清の父無分が絵の修行に都に来ていた頃、苗木を分けてもらって七尾に持ち帰った桜はこれだったのである。

信春はそのことを一瞬に理解し、菅笠の庇を大きく上げて花に見入った。

五十年も前にこの桜に出会った無分の姿。桜と蔵が並んでいた長谷川家の庭。足をぶらぶらさせながら花を描いていた久蔵の乳臭い匂い……。

頭をよぎる諸々の情景が、固く閉ざした心を割り、涙となってあふれ出した。中でも痛切なのは、己れの未熟さゆえに養父母を死に追いやったあの日の記憶だった。

（こうして焦熱の道を行くことになったのも、二人を死なせた報いなのだ）

だから全身で受け止めなければならぬと、信春は再び歩き始めた。

源八の案内で横川にたどりついた時には、先の希望に胸を高鳴らせたものである。だが、比叡山から逃れる途中に子供を抱いた僧を助けたことが、新たな苦難の始まりだった。

織田信忠勢に囲まれた信春はあっという間に四、五人をなぎ倒し、追いすがる者たちを押し返しながら、僧と子供を安全な場所まで避難させた。

そうして山の中の岩屋で一夜をすごし、僧の案内で北白川まで下りていった。知り合いの寺にかくまってもらおうと訪ね歩いたが、延暦寺に縁のある寺はことごとく焼き払われていた。

困りはてた僧が最後に門を叩いたのが、東山の泉涌寺《せんにゅうじ》だった。皇室ゆかりの寺だけに信長軍もさすがに遠慮したようで、茅ぶきの門が閑静なたたずまいを保っていた。

僧が抱いている幼い子は皇室に縁があるらしく、応対に出た僧は事情を聞くなり丁重に寺内に招じ入れた。

信春もしばらくここに身を隠すように勧められたが、訪ねるところがあると言って断わった。

「それではせめて、お名前だけでも聞かせて下さい。今は何のお礼もできませぬが、いつかかならずご恩に報いさせていただきます」

徳善《とくぜん》と名乗った実直な僧が、涙を浮かべて申し出た。

信春と同じ年くらいの聡明な男だった。

「長谷川と申します。絵師になるために都に出て来ました」

信春は多くを語らず本法寺に向かった。

日便和尚の紹介状があるのでしばらく泊めてもらえるだろう。そう楽観して懐に手を当てた。

紹介状はあった。本延寺の使いであるという証明書も、腰に巻いたさらしに大事にしまっていた。

ところが日達和尚から預かった本法寺あての書状がなくなっていた。袱紗《ふくさ》に包んで懐に入れていたが、信忠勢と戦っている間に落としたのである。

（あっ……）

信春は肝を冷やした。

もしあれが信忠勢の手に落ちたなら、本法寺に迷惑がかかる。自分の名前も記してあるのだから、この先どんな災難がふりかかるか分らない。

信春は不安に駆られ、一条戻り橋の近くにある本法寺に急いだ。案の定、寺には信忠勢が張り付き、人の出入りを厳重に監視していた。

信春は息を呑んで身をひそめ、夜になって信忠勢が引き上げるのを待った。

そうして裏の通用口から寺に入り、日便和尚の書状をさし出して日堯上人にお目にかかりたいと申し入れた。

灯明ひとつしかない土間でしばらく待っていると、暗い廊下を明りに先導されて初老の僧がやってきた。寺の執行《しぎょう》（事務長）をつとめる日賢《にっけん》だった。

「お上人さまはお休みです。さっさとお引き取りいただきましょう」

式台に突っ立ち、暗い顔でにらみすえた。

「日便和尚の書状は」

「拝見しましたが、織田家に追われている方を寺に入れるわけにはいきません」

「罪をおかしたわけではありません。比叡山から逃れている方々を助けるために、雑兵を追い払っただけです」

仏の道にもかなったことだと、信春は反論せずにはいられなかった。

「今はそんな理屈が通るご時世ではありません。織田家は人相書きまで作ってあなたを追っているのですよ」

ともかく相手が悪いと、日賢はおびえきっていた。

信忠は信長の嫡男で、十五歳になったばかりである。信長は信忠を後継者にすると決め、慎重に元服の時期と初陣の舞台をさぐっていた。

比叡山の焼討ちに際しては、小手調べのつもりで北白川に布陣させたが、血気にはやった信忠は独断で兵を山上に向かわせた。

その一隊が東塔から逃げてくる僧たちと出くわし、初手柄《はつてがら》とばかりに討ち取ろうとした。ところが信春一人に蹴散らされたのである。

これを聞いた信長は激怒した。

武士は初陣での吉凶をひときわ大事にする。老練の武将を側につけ、絶対に手柄を立てられる場所にしか出陣させない。

ところが信忠は命令にそむいた上に、どこの誰とも知れない男に後れを取った。

このまま放置しては織田家の沽券《こけん》にかかわると、信長は信忠の後見役である村井貞勝《むらいさだかつ》を呼びつ

けて責任を追及した。

京都奉行である貞勝は、この恥をすすぐために血眼になって信春の行方を追っているという。

「そんな人をかくまったら、この寺まで焼討ちされます。おお、くわばらくわばら」

夜の巷にほうり出された信春は、夜明けを待って知り合いの画材屋をたずねた。

祖父の代から取り引きがある生野屋《いくの》なら、力を貸してくれると思って四条室町にある店をたずねたが、塩をまかれるようにして追い出された。

京都奉行の手はこちらにも回っていて、訪ねてきたならすぐに知らせよと脅し付けられたという。

「はよ去《い》んなはれ。訴えんだけましやと思わな、あきまへんで」

顔見知りの番頭が突き出すようにしてぴしゃりと戸を閉ざした。これで顔を隠せと、古い菅笠《すげがさ》を投げてよこしたのが精一杯の温情だった。

信春は事態の深刻さを思い知らされ、菅笠を目深にかぶって前かがみに歩き出した。

「あの、ちょっとよろしゅおすか」

後ろから背が低い小太りの男が追いかけてきた。

数奇者《すきしゃ》らしいしゃれた身なりをしているが、うすいひげをたくわえた丸い顔はいかにも貧相だった。

「わても生野屋さんにおりましてな。話は聞かせてもらいました」

自分は上立売で扇屋をやっている光太夫という者だ。もし行くところがないのなら、うちで働

いたらどうかと、満面の笑みを浮かべて誘った。

「あなたが、どうしてそんなご親切を」

「うちは朝倉家にゆかりがありまんのや。信長に追われている人を、ほっとくわけにはいきまへん」

その言葉に心をほだされ、信春は藁にもすがる思いで身をゆだねた。

上立売の果て、西陣に近いところに扇屋浮橋はあった。

もはや洛中とは言えないほど荒れはてた場所で、貧しい者たちがあばら屋を建てて住んでいる。

そうした一画に間口一間の小さな店を営んでいた。

店の奥に光太夫と妻の玉尾が暮らす部屋があり、店の裏の掘っ立て小屋が仕事場になっている。

土間に筵《むしろ》をひいているばかりで、一日中陽もあたらない。

信春はここで寝泊りし、扇の絵を描くようになった。美人画や風景画、風俗画など、求められるままに何枚も描く。すると光太夫夫婦が扇の骨に張りつけ、得意先へ持っていく。

一日に五枚も十枚も描かされるが、報酬はほとんどなかった。ここに住まわせて一日二食を与えているだけで有難いと思えと恩着せがましく言う。

どうやら老練の光太夫は、信春の窮状を見てこいつなら只でこき使えると目を付けたらしい。

それでもここなら人目につかないので、半年もの間耐え忍んできたのだった。

浮橋にもどると、光太夫が待ちかねたように駆け寄ってきた。扇を張っていたらしく、体中か

ら膠《にかわ》の臭いがした。

「今度の妓《こ》はどうでっか」

絵になりそうかという意味だった。

「若くてきりりとしている。青い着物にしたら似合うだろう」

信春の色彩感覚は抜群である。顔の作りに合わせて着物の色や柄、髪飾りなども自分で決めていた。

「大臼屋の主人、何か言うてはりましたやろ」

「扇が売れて儲かっていると感謝された。商売繁盛で結構なことだ」

「それだけでっか。言わはったんは」

「酒席にさそわれたが断わった。面倒な話は聞きたくないのでな」

「あきまへんがな。大事なお得意さんやさかい、少しは気ぃ遣うてもらわんと」

「何しろ仕事が忙しい。注文を取るのは主人の役目だろう」

信春はさっさと裏の仕事場に入った。冬は凍ったように冷たい土間も、春のおとずれとともに厳しさがゆるんでいた。

光太夫は困ったように口ひげをねじっていたが、妻の玉尾にせつかれて後を追ってきた。

「大臼屋さんの話ですけどな。実は芸妓《げいこ》の裸を描いてほしいという注文がありましたんや。それなら今までの五倍は払う言わはるんどっせ」

裸といっても裸婦像ではない。春画とか危《あぶ》な絵と呼ばれる類のものである。比叡山焼討ち以来

世相が刹那的になり、こうしたものまで流行《はや》るようになっていた。

「そやけどわしの口から、そないなことよう頼めまへん。大臼屋さんにそう言うたんですわ」

「それならそれで良いではないか」

「あきまへんがな。先生に描いてもろたら、今の五倍儲かりますよって」

どうにか引き受けてもらえないかと懇願したが、信春は頑として応じなかった。たとえどんな境遇になろうと、絵師の魂を売り渡すわけにはいかなかった。

夕方、玉尾が夕食を持ってきた。夜になると明りもないので、日が暮れないうちにすますのが普通だった。

「いつもよう働いてもろて、おおきに」

玉尾が柄にもなく小首をかしげて科《しな》を作った。

「弟が鴨をとってきたよって、鍋にしましたんや。まだ寒おすさかい、温もっておくれやす」

土間に敷いた筵にひざまずき、小鍋をのせた折敷をおいた。驚いたことに酒まで一本つけている。

「いける口ですやろ。おひとつどうどすか」

「いや、酒は飲まんのだ」

「無粋なことをお言いやすな。ちょっとやったら薬どすさかい」

かつて芸妓をしていただけあって、玉尾は勧め上手である。もう四十半ばだが、熟しきったあだっぽさをただよわせていた。

信春は鴨鍋の匂いにさそわれて盃を取る気になった。これほどの馳走は久々である。少しくらいはいいだろうと、つい誘惑に負けたのだった。

玉尾は愛想よく酌をし、信春が久々の酒に頰を赤くした頃を見計らって、

「昼間、うちの人が言うてはったことやけど」

引き受けてもらうわけにはいかないだろうかと、本性をあらわにした。

「先生のお気持もよう分りますけど、大臼屋さんはうちの大事なお得意さんどす。あんまり勝手言うて出入りを差し止められたら、店が立ちゆきまへんよって」

「そんなことだろうと思っていたよ」

信春は最後の一滴まで飲み干し、自分の弱さを冷ややかに笑った。

「たいしたことおへんやないの。人間やったら誰でも好きなことやさかい、遠慮のう描いたらええんとちがいますか」

「私は絵仏師だ。道にはずれた仕事をするわけにはいかぬ」

「絵仏師って、何どすか」

「仏を描く仕事だ」

信春は玉尾のしつこさがうとましく、まともに答える気になれなかった。

「そんなん今時流行りまへんえ。それに仏様かて、そんな了見の狭いお方やあらしまへん。泥沼にも蓮の花が咲くと教えておられるやおへんか」

「断わる。どうしても描かせたいなら、誰かほかの者に頼んでくれ」

「アホなこと言わんといておくれやす。大臼屋さんは先生の腕を見込んではるさかい、頼んではるんどっせ」

引き受けてくれたなら扇の売り上げの三割を渡す。それで手を打ってくれと、玉尾は執拗《しつよう》に食い下がった。

「ともかく駄目だ。明日は早い。もう帰ってくれ」

「そんなこと言うてええんどすか。ここにおられんようになったら、どこにも行くとこあらしまへんえ」

玉尾は急に掌《てのひら》を返し、今までかくまってやった恩を忘れたのかと言い出した。

「こないなこと言いとうおへんけどな。先生をかくまっていると知れたら、うちかてどないな目にあうか分らしまへん。それを承知で半年もおいてやったんどっせ。その恩に報いるのが、人の道とちがいますやろか」

「その分の仕事はした。さんざん儲けたくせに、欲張るのもいい加減にしろ」

もしお前が体を売れと言われたらどうする。絵師にとってこの仕事に手を染めるのはそれほど辛いことだと、信春は珍しく声を荒らげた。

「うちで良ければ、なんぼでも売りまっせ。銭がないのは首がないのと同じですよって」

「私は嫌だ。この一線を踏みこえたなら、もうまともな絵は描けなくなる」

「そうどすか。ほな、うちも考えさせてもらわなあきまへんな」

翌日からまともな食事が出なくなった。これまでも粟《あわ》や稗《ひえ》がまじった飯に一汁一菜だったが、

まず汁物がなくなり、次に米粒が消えて粟と稗だけになった。

どうやら玉尾は信春を兵糧攻めにして、音を上げるのを待つつもりらしい。いかにも京女らしい情の強《こわ》いやり口だった。


三月中頃になり桜の花も散り落ちた頃、玉尾が立派な袈裟を着た初老の僧を案内してきた。

「先生、こちらのお坊さまがお目にかかりたいと言うてはりますえ」

うちの扇を気に入ってくれはったようやけど、何の用でっしゃろと、玉尾は青い顔をしてうろたえていた。

信春は筆を止めて僧を見上げた。

どこかで会った気がするが、誰だか思い出せなかった。

「恐れ入りますが、長谷川さまでしょうか」

相手も信春を見て戸惑っていた。

髪もひげも伸び放題で、絵具に汚れたボロをまとっているのだから、分らないのは無理もなかった。

「お忘れでしょうか。本法寺の日賢でございます」

信春が日堯上人に面会を求めた時、寺にも上げずに追い返した執行だった。

「あの折には、大変失礼いたしました。驚天動地の出来事に仰天し、分別に見放されていたのでございます」

「それで、何のご用でしょうか」

信春は冷ややかだった。まだ半年前なのに、遠い昔のことのように思えた。

「お上人さまに日便和尚の紹介状をご披露申し上げたところ、どうして寺にかくまわなかったとたいへんお叱りを受けました。それで手を尽くして捜していたところ、こちらの扇の絵が長谷川さまの絵に似ていると申す者がおりまして」

取るものも取りあえず訪ねて来たのだと、日賢は絵具で汚れた筵におそるおそる腰を下ろした。

「ご心配は無用です。こうしてここで生きておりますから」

「是非ともお願いしたいことがあるのです。今さらこんなことを頼めた義理ではないのですが」

「何でしょう。扇の絵でもご所望ですか」

貧すれば鈍すという。信春の心も、長い窮乏の間に少なからず荒《すさ》んでいた。

「ここだけの話ですが、日堯上人がご病気で明日をも知れない身でございます。命が尽きる前に、長谷川さまに肖像を描いていただきたいと切望しておられるのでございます」

「ご存知でしょう。私は京都奉行に追われている身ですよ」

「寺にお出でいただければ、我々がかくまい通します。人目につかぬように輿を用意して参りました」

これに乗って寺に来てくれと、上人用の最上級の輿を路地の奥まで入れさせた。

信春は急き立てられるまま、身なりもととのえずに輿に乗り込んだ。

玉尾は事態が呑み込めず、あわてて光太夫を呼んだ。

「何や。騒々しい」

光太夫は作業場から飛び出してきたが、輿はすでに路地の角を曲がって表通りに出た後だった。

一条戻り橋に近い本法寺に着くと、風呂の用意がしてあった。信春は半年ぶりに湯に入り、髪もひげも剃り落とした。

これから寺に住むのだから、僧形になった方が目立たないと言われたのである。

信春は教行院という塔頭に案内された。日堯上人は病みついて以来、日当たりのいいこの子院で療養していた。

奥の間に入ると、日堯は夜具の上で体を起こしていた。背がすらりと高く、眉がこく鼻筋が細くとおった意志の強い顔立ちをしている。

歳は三十。堺の豪商油屋《あぶらや》の出身で、若い頃から英邁《えいまい》の誉高く、大本山本法寺の将来を託されて住職となった。

期待がどれほど大きかったかは、日堯という名に表れている。堯は気高いという意味であり、聖天子のことを指す。中国古代の伝説の五帝の一人が堯と命名されているのも、この意を含んでのことだ。

それほど嘱望されていた日堯上人も不治の病におかされ、やせて頬骨の浮き出た青白い顔をしていた。

「よくお越しいただきました。以前には寺の者が行き届かず、たいへん失礼をいたしました」

日賢が信春を追い返したことを、日堯は真っ先にわびた。翌日話を聞いて後を追わせたが、行

方を知る手がかりがなかったという。

「あれは私の落度です。こちら様にご迷惑をかけると知りながら、つい頼ってしまいました」

「織田の手勢を打ちのめされたそうですね」

「子供を抱いた僧たちが襲われていたので、無我夢中で追い払いました」

殺生をするつもりはなかったが、必死になっていたので手加減する余裕がなかった。信春はそう言って肩をすくめた。

純朴さと人の良さがにじみ出た仕種である。それを見て心がなごんだのか、日堯が初めて笑みを浮かべた。

「手加減などする必要はありません。第六天の魔王は三悪道の業《ごう》を作る者をば悦び、三善道の業を作る者をば嘆くと、日蓮上人も説いておられます。信長の配下となって悪道をなした者は、その報いを受けるべきなのです。私はあなたが織田勢を打ちのめしたと聞いて、胸のつかえが下りる思いをいたしました」

日堯の顔にうっすらと血の気がもどり、年相応の精気がみなぎってきた。

「私がこのような病におかされたのは、信長が比叡山を焼討ちしたからなのです。非業の死をとげた者たちの救いを求める声に、最後まで向き合うことができませんでした」

日堯は寺に居ながらにして遠くのものを見、感応する力を持っている。天通眼と呼ばれる霊力で、生まれつきそなわった力が仏道の修行によって開花したものだ。

それゆえ焼討ちの日に比叡山とその周辺で起こったことをつぶさに見て取り、無残に殺されて

いく者たちの苦しみや悲しみ、怒りや怨みを全身で受け止めていた。

人はこの世だけの存在ではない。怨みをのんで死んでいった者たちの魂は、幽魂《ゆうこん》となってこの世にとどまり、救いを求めて悪業をなす。

そうした者たちに引導をわたし、成仏へと導くのが僧の役目である。

日堯はその役目を忠実にはたそうとした。昼となく夜となく飛び込んでくる幽魂を折伏《しやくぶく》し、人の命は永遠で輝きに満ちたものだという法華経の真理を分らせようとした。

これは剣戟《けんげき》にも似た一瞬の戦いである。幽魂が飛び込んできた刹那に、身につけた法力《ほうりき》によって圧倒しなければ引導をわたすことはできない。

それも一人や二人ではなかった。信長に殺された数百、数千の魂が、救いを求めて聖なる場所に押し寄せるのである。

彼らを折伏しつづけるうちに、日堯は病におかされた。

あまりの苦行に胃の腑がさけ、出血が止まらなくなった。それでも死力をつくしたために、取り返しのつかないところまで病魔が進んだのである。

それを日堯は、最後まで向き合うことができなかったと言った。

もっと修行をつみ確かな法力を身につけていれば、さまよう魂を残らず成仏させてやることができたと、自分の非力を責めていた。

「せめてあと十二年、修行をつむ時間を与えられていたなら、もう少し力強いことができたでしょう。今さら言っても為《せ》ん方ないことですが」

日堯はそう言って笑った。

子供のように無垢で、はてしない悲しみをひめた笑顔だった。

「ご尊像をご所望だとうかがいましたが」

信春には日堯の無念がよく分った。

殺戮の場にいながら逃げ出すことしかできなかったことが、悔恨となって胸の底にこびりついていたからである。

「そうです。後の修行者のために、この姿を残していただきたい」

「後の修行者のためとは、どういうことでしょうか」

「あなたの絵の力量には、本延寺の日便さんが折紙をつけておられます。そのお力で私のありのままの姿を描いていただけば、後につづく修行者には分るはずです。私の修行がどこまで進み、何が足りなかったかを」

尊像とはただの肖像画ではない。描かれた姿を見て、僧の悟りがどこまで進んでいるか分るものでなければならなかった。

寺で修行する者たちは尊像に触れているうちに、先達の悟りの程度に忽然《こつぜん》と気付く。それは自分の悟りが、それを理解できるほどに進んだ証なのである。

自分の像がそうした道標《みちしるべ》になり、後進の者の踏み石になることを願って、日堯は信春に尊像を描いてもらおうと決意したのだった。

「ご上人さまの悟りまで、この私に写し取ることができましょうか」

これまで何度か尊像を描いたことはあるが、それは肖像画の域を出ないものである。悟りの内実まで表現するという意識を持って取り組んだことはなかった。

「あなたは信長に勝ちたいとは思いませんか」

意外なことをたずねられ、信春はとっさに返事ができなかった。

「私は勝ちたい。人は理不尽な暴虐に屈することのない気高さを持っていると、自分の生きざまによって知らしめたいのです。それゆえ今も幽魂の折伏をつづけていますが、命の火はあと百日ももたないでしょう。それゆえこの心を絵に刻みつけ、後の世まで伝えていただきたいのです」

それが信長に勝つ方法だと教えられ、信春の体が感動に震えた。絵にそうした力があると、初めて気付いたのだった。

「私も勝ちたいです。無残に殺されていった人々のためにも、暴虐に屈しない気高さがあることを示したいと思います」

そう言った瞬間、比叡山で秀吉勢に立ち向かった猿たちの姿が脳裡をよぎった。

次々と木から駆け下り、鞠《まり》のようにはねながら圧倒的な強者にいどむ猿たちが、御仏の使いのように思えたのだった。

信春は翌日から教行院に住み込み、日堯の身のまわりの世話をすることにした。

心や悟りまで写し取るためには、日堯をよく知らなければならない。見たり聞いたりするだけではなく、常に身近に接して体で感じ取る必要があった。

四月になり境内の木々が新緑におおわれると、日堯の容体も小康をたもつようになった。くず

湯や乳粥《ちちがゆ》を口にし、顔にも血の気がさすようになった。

それを見計らって、一度だけ袈裟をつけ説法机に座ってもらった。

右手に檜扇《ひおうぎ》、左手に経巻《きょうかん》を持ってもらい、下絵を描くことにした。

「法衣に着替えなくていいのですか」

日堯は説法机に座って念を押した。

「構いません。後でご上人さまの法衣を拝見し、描き加えますから」

正式の法衣は重い。着用にも時間がかかる。日堯にそんな負担をかけたくないので、いつもの白衣の上から袈裟をつけてもらった。

下絵は四半時ほどで出来上がった。後は芸妓の写し絵と同じように、自分で配色を決めることにした。

下絵を何枚も写し、色をつけていく。袈裟は薄墨色の地に金襴《きんらん》の紋様、机をおおう布は黒に金の鳳凰《ほうおう》紋、その上にかけた卓布は緋色に金の龍紋……。

日堯の気高い志を表現するための配色と紋様はすぐに決まったが、法衣をどうするか思い浮かばなかった。

上人用の華麗な法衣を見せてもらったが、これでは袈裟や卓布と同系の色になってしまい、日堯の清廉な人柄と幽魂を折伏しつづける緊迫感を表すことができない。

信春は何日も悩み抜いた末に、今の日堯上人そのままに白い法衣にしたらどうかと思った。ずっと白衣を着た姿に接してきたのだから、この色が一番上人らしいはずである。

そう思って色をのせてみると、自分でも驚くほど似合っていた。白衣の尊像などあまり例がないが、日堯の心と悟りを表すのにこれに勝る色はなかった。

配色が決まると、次は絵具の入手である。鮮やかで深みのある色を出せるかどうかは、絵具の良し悪しにかかっている。

信春は執行の日賢に頼み、生野屋の番頭を呼んでもらった。

「おおせをたまわり、おおきにありがとさんでございます。何なりとご入用の品をご用立てしますよって」

番頭は平身低頭だった。

本法寺は本阿弥光悦《ほんあみこうえつ》の曾祖父の寄進によって創建されて以来、京都の美術界において大きな影響力を持っている。今をときめく狩野派ともゆかりが深いので、寺に出入りを許されれば洛中一の画材商になれる。

そんな思惑があるせいか、ひたすらへりくだるばかりで、目の前にいる僧形の絵師が、半年前に追い出した信春だと気付かないほどだった。

これはかえって好都合である。信春はわざと重々しく振舞って生野屋を恐れ入らせ、尊像に使う色を描き込んだ下絵を渡して絵具を注文した。

大半は鉱石から作ったものである。群青は藍銅鉱《らんどうこう》、緑青色は孔雀石、黄色は虎眼石。赤は水銀と硫黄《いおう》で発色させ、白は貝殻を焼いて粉末にした胡粉《ごふん》を用いる。

胡粉の材料としてもっとも優れているのは、ふるさと能登のカキ殻だった。

「ともかく最上級の品を用意して下さい。費用はいくらかかっても構いません」

本法寺には日堯の実家の豪商油屋が有形無形の支援をしている。絵具どころか店を丸ごと買い取るほどの力があった。

生野屋は三日で絵具をそろえてきた。しかも調合の専門家二人を寺に残していくほどの気の遣いようだった。

信春は水垢離《ごり》をし、心身を清めてから仕事にかかった。

下絵をもとに縦三尺、横一尺五寸ほどの絹布《けんぷ》に木筆で下描きをした。説法机につき、右斜め前を向いて法を説く上人の姿である。

絵に命と悟りを吹き込むことで、信長に勝つ。芸術の普遍と永遠が、第六天の魔王の暴虐に打ち勝つことを証明するのだ。

信春は日堯といっしょに戦う気持になって、下描きに色をのせていった。日堯が手にした経巻の文字ひとつ、卓布に描いた龍のひげ一本おろそかにせず、全身全霊を打ち込んで描きつづけた。

尊像は五月初めに出来上がった。

日堯の頭上をかざる天蓋《てんがい》も、説法机をおおう卓布の龍紋も、インドの繊密画《せんみつが》のように微細に描いている。それが白い法衣を着た日堯と、ゆるぎのない調和を保っていた。

完成したとたん、信春は倒れ込むように床についた。

最後の三日はほとんど眠らずに描きつづけている。緊張の糸を張りつめていたので疲れも眠気

も忘れていたが、ほっとした瞬間に忍耐の堰が切れ、精も根もつきはてたのだった。

信春は二日の間昏睡におちいった。そうして夢の中で、信長に殺された者たちの怨嗟の声を聞き、幽魂となった姿と向き合っていた。

それはまさに地獄絵図である。日堯上人はこうした者たちに日夜さいなまれ、一人一人折伏していたのだ。深い眠りの中でもそのことが身につまされ、痛ましさに涙を流していた。

三日目の朝、信春は我に返って日堯上人の尊像と向き合った。

明り障子を通してさし込む光に、画像があわく照らされている。光の微粒子を吸い込んだように、乾きたての絵具があざやかに発色していた。

信春は目を見張った。自分が描いたとは信じられない出来映えである。気を失っている間に、絵の神様が枕元においていってくれたのではないかと疑ったほどだった。

信春は大きな布に絵を包み、日堯の部屋をたずねた。上人に見てもらうまでは、誰の目にも触れさせたくなかった。

「これは……」

日堯はしばし絶句して、まぎれもなく私だとつぶやいた。

喰い入るように絵を見つめ、病にやつれた体を震わせている。やがて両の目から涙を流し、声を押し殺して泣き始めた。

「いかがなされましたか」

何か不調法をして不興をかったのではないかと、信春は気が気ではなかった。

「そうではありません。私は今まで、自分をこんな風に見たことは一度もありませんでした。こんな目で自分を見ることができたなら、もう少し深い悟りを開くことができたはずです」

それが残念で泣けてきたという。

「それはどういう意味でしょうか」

「ここに描かれているのは、末那識《まなしき》にとらわれている人間の姿です。あなたは見事に私の悟りの限界を見破っておられます」

「私には分りません。末那識とは何のことでしょうか」

「成唯識論《じょうゆいしきろん》という教えがあります。すべての物事は人間の意識によって顕現《けんげん》したという考え方です」

日堯はかんで含めるようにやさしく説いた。

人間には眼・耳・鼻・舌・身・意という六つの識があり、それぞれ視覚、聴覚、嗅覚、味覚、触覚、知情意をつかさどっている。その先の第七段階にあるのが末那識で、自己という意識を生み出す心の働きのことである。

この末那識が他の六識を統合して自分らしい生き方を生み出すわけだが、その一方で自己にこだわる心が執着となって悟りにいたるのを妨げる。

それゆえ修行者はここを乗りこえて第八段階の阿頼耶識《あらやしき》まで進み、執着から離れて真如《しんにょ》に至らなければならない。

真如とは在るがままの姿、存在の本質としての真理のことだった。

「日蓮上人も、内心の仏界を知らざれば外の諸仏も顕われぬと教えておられます。末那識にとどまっている限り煩悩から抜け出ることはできず、いくら悟りを求めて精進しても、求める心そのものが執着となって悟りに至る道を閉ざしてしまう。そんな私の姿を、あなたははっきりと描き出してくれたのです」

「そんな大それたことを考えていたわけではありません。私はただお上人さまと共に戦うつもりで、懸命に描いたばかりです」

「それは分ります。だからあなたの心も、末那識にとどまっているのです」

日堯はお付きの僧を呼び、開山上人の尊像を持ってくるように申し付けた。

若い僧が持参したのは、本法寺初代の日親《にっしん》上人を描いたものだった。

日親は六代将軍足利義教《よしのり》の暴政を改めようと『立正治国論』を献じたが、かえって義教の逆鱗にふれ、投獄されて赤熱した鍋を頭にかぶせる刑を受けた。

それでも信仰と信念を貫き、「鍋冠《なべかぶり》日親」の名で人々の尊崇を集めるようになった。

尊像はその時の姿を描いたものだが、名のある絵師の手になるものではない。技量もたいして高いとは思えないが、刑を執行する獄吏たちの緊張感と、頭を焼かれながら平然としている上人の悟りを見事にとらえていた。

これこそ阿頼耶識に入った僧の姿である。それを柔らかい筆でやすやすと描き出した名もない絵師に、信春は驚きと羨望を禁じえなかった。

「だからといって尊像に非があるわけではありません。この絵を踏み石にして悟りを開く僧たち

のことを思いながら、私は心安らかに臨終の時を迎えることができます。あなたはこれから精進を重ね、私が届かなかったところまで進んで下さい」

日堯はずしりと重い課題をさずけると、尊像に南無妙法蓮華経の七文字を書きつけた。

それから五日後、五月十二日に日堯は黄泉《よみ》の客となった。辛く苦しい役目から解き放たれた安らかな死顔だった。

葬儀は本法寺で盛大におこなわれた。日堯の実兄である油屋常金が莫大な寄進をし、京都や堺の関係者を幅広く招いた。

同宗他宗の僧たちや、日堯と法縁のあった公家や武家、美術界の重鎮や油屋ゆかりの豪商たちなど、千人をこえる参列者で境内は足の踏み場もないほどだった。

その中には父光二につれられた本阿弥光悦や、狩野松栄《しょうえい》、永徳父子、信長の茶頭《さどう》となった千《せんの》宗易《そうえき》（利休《りきゅう》）もいたが、信春は面識を得ることができなかった。

京都奉行の村井貞勝から追われている身である。日堯の生前の計らいによって教行院に住むことは許されたが、公の席に顔を出すことはできなかった。

信春が描いた尊像は、祭壇の横にかかげてある。世をはばかって落款をしていないが、参拝者の間では大変な評判になった。

まるでご上人さまが生きておられるようだと、尊像の前から動こうとしない信者が何百人もいた。誰が描いたのか教えてほしいと押しかける者が引きも切らないので、執行の日賢は脂汗を浮かべて対応に追われていた。

慎重派の日賢でも、中には隠しきれない相手がいる。そうした者の口から、長谷川信春の名がひそかに洛中に広まっていった。

日堯の初七日を終えた日、日賢が尊像を持ってたずねて来た。

「ありがとうございました。お陰さまで無事にご上人さまを送ることができました」

しばらく本堂にかかげることもないので、落款をしてほしいという。

「よろしいのでございますか」

「ご上人さまのご遺志でございます。これだけの仕事をしていただいたのですから、労に報いるのは当然だとおおせでございました」

「ご自身もあれほど苦しんでおられたのに、そのようなご配慮を」

信春はかたじけなさに胸が詰まり、尊像に向かって手を合わせた。

「表に出せない間は、寺の宝物殿に保管しておきます。存分にお書き下され」

「では、ひとつお願いがございます」

宗清の名も入れさせてほしいと頼んだ。この尊像を描くことができたのは、養父の教えがあったからである。そのことを後世に伝えたかった。

日賢は信春が七尾を所払いにされたいきさつを知っている。落款に第三者の名を記すのは異例のことだが、思いを察して反対しようとはしなかった。

信春は下ろしたての筆で、説法机の右に「遷化日堯聖人尊霊位　生年卅歳」、左に「于時元亀三壬申暦五月十二日」と記した。

そこで細筆に持ちかえ、画面の右下に小さく「父道浄六十五歳、長谷川帯刀信春三十四歳筆」と書き加えた。

そうして袋形の印を押していると、

「宗清どのが道浄と名乗られたのは、そなたが絵師になるための道を浄めたいという願いを持っておられたからじゃ」

という日便和尚の言葉が耳底によみがえった。

生きていれば六十五歳になる養父である。育ててもらった恩に報い、死なせた罪をあがなうために、これからずっとその歳を心に刻んでいかなければならなかった。

旧暦五月は梅雨、五月雨《さみだれ》の季節である。

京都の雨は移り気で、降ったかと思うと止み、止んだかと安心していると、わざとのように意地悪く降りかかってくる。

六月になってそうしたうっとうしさから解放された頃、市女笠をかぶった二十歳ばかりの娘がたずねてきた。

「わたくしは三条西家のお裏方さまに仕える、初音《はつね》という者でございます」

丸く愛らしい御所人形のような顔立ちをしているが、物怖じしない気丈な態度だった。

三条西家のお裏方とは、畠山家から輿入れした夕姫のことである。

「ほう、これは意外な」

信春はかすかに身構えた。

養父母を自害に追い込んだのは、畠山家再興の計略に関わったからだ。夕姫もその場にいて、信春を誘い込む役割を演じたのである。

その時のことが、苦々しい思い出としてよみがえった。

「来る十二日は、お裏方さまの大祖父であられる畠山義総《よしふさ》さまの月命日でございます。大徳寺の興臨院で供養の粗飯をさし上げたいので、ご臨席たまわりたい。そうおおせでございます」

興臨院は義総が小渓紹付《しょうけいじょうふ》を招いて開いた塔頭で、畠山家の菩提寺である。義総の命日は七月十二日だが、月命日にも法要をおこなうという。

「私のような者を、どうして」

急にそんな席に招くのか、合点がいかなかった。

「お願いしたいことがあるとおおせでございましたが、詳しいことはうかがっておりません」

初音は懐に入れた袱紗《ふくさ》を開き、夕姫の結び文をさし出した。

紫陽花を散らした上品な料紙に、「初音をつかわします。詳しくはお目もじの上で」とだけ記してあった。

文には涼やかな香が焚きしめてあり、

夏もなほ心はつきぬあじさゐの
よひらの露に月も澄みけり

という藤原俊成《ふじわらのしゅんぜい》の歌がそえてあった。

信春は香の匂いに酔ったようになり、たおやかな女文字の歌に心を奪われた。立場のちがいは分っているが、恋文をもらったように胸がときめくのである。

「ご返事を、うけたまわりとう存じます」

初音が頃合いを見計らって催促した。

「お招きは有難いが」

この道を進んでは、七尾で政争に関わった愚をくり返すことになる。信春は傾きかけた心を冷静に立て直した。

「私は故あって世間に顔を出すことのできない身の上です。姫さまにそうお伝え下さい」

「そのことなら、お裏方さまも存じておられます」

初音は眉ひとつ動かさずに応じた。

「ご存知ですって。何をどう知っておられると言うのですか」

「比叡山から逃れる途中に数人の織田勢を討ち取り、京都奉行の村井さまから追われておられるということです」

「どうして、そのことを」

夕姫が知っているのか、それにここにいることが何故分ったのか……。信春には解せないことばかりだった。

「日堯さまのご葬儀には、夕姫さまのお身内の方も参列しておられました。そのお方が本法寺で長谷川さまのお噂を聞き、夕姫さまに伝えられたそうでございます」

「なるほど。調べはついている訳ですか」

「長谷川さまは畠山家のご家来筋のご出身とうかがいました」

初音は余程夕姫に重く用いられているらしい。信春が描いたキリコの絵を見て、夕姫が感動したということまで知っていた。

「確かに実家はそうですが、子供の頃に養子に出されましたので私はご縁がありません」

「それなのに夕姫さまは、あなた様を頼みにしておられます。どうしてだか分りますか」

信春は答えなかった。一度騙されているのである。分りたくもない気分だった。

「それほど懐かしくお思いだからです。それに今、大変難しいお立場に立たされておられます」

「名門公家のお裏方さまでしょう。不自由なく暮らしておられるのではないのですか」

「ご存知ないかもしれませんが、公家のお裏方は実家に権勢があってこそ重んじられるものです。畠山家があのようなことになったために、口にはできないほどお辛い思いをしておられます」

「そんな……、あの夕姫さまが」

信春は動揺した。

高い所でのうのうと暮らしていると思っていたから、恨みつらみも言いたいのである。畠山家が没落したために窮地に追い込まれているのなら、ほっておくわけにはいかなかった。

奇しくも六月十二日は、日堯上人の初めての月命日だった。

信春は法要を終えて帰る参列者にまぎれて本法寺を抜け出し、托鉢笠を目深にかぶって堀川通を北に向かった。

紫野の大徳寺は、北大路通に面していた。鎌倉時代の末期に大燈《だいとう》国師宗峰妙超《しゅうほうみょうちょう》が開いた臨《りん》済《ざい》宗の大本山だった。

総門は東側の大徳寺通に面している。そこを入ると右手に勅使門がある。天皇からの使者を迎える唐破風《からはふ》の門で、奥には三門、仏殿、法堂が一直線に並んでいた。

興臨院は総門の真っ正面にあった。

能登畠山家の第七代義総が、大永年間（一五二一～一五二八年）に菩提寺として創建し、自分の法名を寺名にしたのである。

義続に家督をゆずった義総は、この塔頭に隠棲して禅僧や公家、芸術家たちと交流を重ね、彼らを七尾に招いて華麗な畠山文化の基礎をきずいたのだった。

夕姫は仏間で待っていた。薄墨色の小袖を着て黒い絽《ろ》の羽織を重ねている。側に控えているのは初音だけだった。

大勢の参列者があるだろうと覚悟していた信春は、ほっとすると同時に肩すかしを喰った気がした。話がちがうと思いながら敷居際で戸惑っていると、

「どうぞ、お入り下さい」

初音が声をかけた。

境内は静まりかえり、どこかで気の早い蝉が幼い鳴き声をあげている。風が出てきたようで、

軒に下げた風鐸《ふうたく》がかすかな音をたてていた。

「ご拝顔の栄《えい》によくし、かたじけのうございます」

信春は夕姫の前に進み、臣下として型通りの挨拶をした。

「お呼び立てして申し訳ありません。どうぞ、おくつろぎ下さい」

夕姫の声は相変わらず涼やかである。だが少しやせて、肌の色もかげりをおびていた。

「お加減がよくないと、初音どのからうけたまわりましたが」

信春は夕姫のはかなげな姿に胸を痛め、これまでの恨みつらみを忘れはてていた。

「たいしたことではありません。初音が出すぎたことを申したようで、大変失礼いたしました」

夕姫が力なく笑った。

幼さの残る顔に、運命の過酷さに対する戸惑いがある。それでも屈することなく立ち向かおうと、気を張りつめているのだった。

「能登守さまと修理大夫さまは、お変わりなくお過ごしでございますか」

信春は義続と義綱の安否をたずねた。

「ええ、楡原の館で無事に過ごしております。あちらでお目にかかり、大変嬉しゅうございました」

「その後のことについては、お聞き及びでございますか」

「朝倉さまとの盟約がうまくいかなかったと聞きました。それゆえ早々に都に戻るように、祖父から命じられたのでございます」

夕姫は黒く澄んだ大きな瞳を、信春に真っ直ぐに向けた。

嘘をついているとは思えない。義続から何も聞かされていないようだった。

「姫さまとお目にかかった日に、私は能登守さまからある役目をおおせつかりました。そのことはお聞き及びではございませんか」

「祖父は女子《おなご》にそんな話をする人ではありません。朝倉家とのことは、母が文で知らせてくれたのでございます」

「さようでございますか。不躾《ぶしつけ》なことをおたずねし、失礼いたしました」

信春は胸のつかえが下り、勢い込んで頭を下げた。夕姫の言葉が本当だという保証はないが、そう言うからには疑いなく信じたかった。

「は、初音どのから、何か頼みがあるとうかがいましたが」

「ええ、お願いがございます」

「何なりと、ご遠慮なくお申し付け下されませ」

「その前に、お目にかけたいものがございます」

夕姫が先に立って寺の本坊に案内した。

本坊の玄関に、輪袈裟《わげさ》をつけた高位の僧が待ち受けていた。

夕姫と顔見知りのようで、

「姫《ひい》さまにおこしいただくと、いつもよう晴れますな」

親しげに声をかけた。

「お世話になります。こちらが長谷川信春さまでございます」

夕姫に紹介され、信春はうろたえながら頭を下げた。相手が誰か聞いていないので、どう振舞っていいか分らない。それに信春さまと呼んでもらい、申し訳なさに身の置きどころがない気持だった。

「私は古渓《こけい》と申します。日堯さんのご尊像を、ご葬儀の時に拝見いたしました」

あまりの素晴らしさに身のすくむ思いがしたと、古渓という恰幅のいい僧が気さくに話しかけた。

「もしや、蒲庵《ほあん》古渓さまでございますか」

「そうですが、どうして私の名を」

「七尾に住んでいた頃、曾我派の絵を学ぶために一乗谷をたずねたことがあります。そこでご尊名をうかがいました」

古渓は朝倉家の全盛時代をきずいた朝倉教景《のりかげ》（宗滴《そうてき》）の実子だが、父の菩提を弔うために出家し、下野の足利学校で学んだ。

その後大徳寺の江隠宗顕《こういんそうけん》に師事し、めきめきと頭角を現しつつあった。後に千利休の師となり、古渓宗陳《そうちん》の名で知られるようになる。

歳は信春より七つ上だった。

「そうでしたか。一乗谷にはもう二十年ほどもどっておりませんが、その名を聞くだけで懐しい風に吹かれた気がいたします」

古渓は方丈の一室に案内し、しばらくお待ち下さいと二人を残して立ち去った。

正面には白砂を敷きつめた庭が広がっている。初夏の陽をあびて石英の砂がきらめき、春の陽に照らされた七尾の海のようだった。

「本当に古渓さまのお言葉の通りですね。ふるさとの名は、耳にするだけでやさしく懐しい香りがいたします」

夕姫も七尾の海を思い出したのか、庭を見つめて涙ぐんでいる。色白の顔が砂の照り返しに明るく映え、清らかさが際立っていた。

静かである。なぜか蟬もなりをひそめ、風鐸の音もぴたりと止んでいる。万物が静止したような静寂の中で夕姫と向き合っていることが、信春は次第に苦しくなってきた。

黙っているのは辛い。かといって何を話していいか分からない。身の置き場がないまま緊張感に押しつぶされそうになっていると、池の鯉が大きくはねた。

一瞬の水音がして、波紋の広がりを想わせながら消え去っていく。はるか彼方に誘《いざな》われるようで、信春の心がすっと楽になった。

「お待たせをいたしました。こちらに」

古渓が再び別の部屋に案内した。

廊下は複雑に折れ曲がり、庇は幾重にも折り重なって、どこをどう歩いているのか分からない。大徳寺とはこれほど大きいのかと驚くばかりだった。

めざす部屋の前まで来ると、

「おそれ入りますが、これをお使い下さい」

古渓が和紙で作った口覆《くちおお》いを渡した。神事などで唾が飛ばないように用いるものだった。

「それでは、ご覧いただきましょう」

古渓がふすまを開けると、床の間にかけた三幅の絵が目に飛び込んできた。

真ん中に観音像、向かって右に子猿を抱いた母猿、左に子を求めて鳴く母鶴が配してある。宙にただよう空気の気配までとらえた見事な水墨画だった。

「これは……」

信春は驚きと感動に身震いした。

絵師をめざす者なら知らぬ者はいない。大徳寺が秘蔵する牧谿《もっけい》筆の観音猿鶴《えんかく》図だった。

信春の胸をつかんだ感動は、波紋のように全身に広がっていく。肌が粟立ち感極まって、我知らず床の間ににじり寄っていた。

観音の自然な姿は、信春の鬼子母神像など足許にも及ばない優雅さをたたえている。ふくよかでおだやかな顔立ちと、慈愛に満ちたまなざしが、見る者の心をつかんで離さない。

母子の猿はひしと身を寄せあい、自然の厳しさと向き合っている。母猿が不安そうなのは、子猿を守り抜けるかどうか案じているからである。

鶴は焼野の雉子《きぎす》夜の鶴と言われるほど、親子の情愛が深い鳥である。牧谿の鶴も鋭いくちばしを空の彼方に向け、子をさがしに飛び立たんばかりの様子をして鳴いていた。

敦賀に残してきた静子と久蔵を思いながら喰い入るように見つめているうちに、信春は絵の中

に心を解き放たれていく不思議な感覚にとらわれた。

これまで古今の名画を見た時には、絵が前に出てくる気がした。曾我蛇足や狩野永徳、そしてひそかに師とあおぐ雪舟《せっしゅう》でさえそうである。

だがこの絵を見ていると自然に誘い込まれ、何の屈託もなく牧谿が意匠をこらした世界に遊んでいる。

身構える母子の猿や子を求めて鳴く鶴は、喜怒哀楽の煩悩をかかえて生きる自分の姿だ。だがどんな苦しみも、観音さまの慈悲によって救われている。

そうした思いが自然とこみ上げ、心が自由で伸びやかになっていく。自分もこんな仕事にたずさわれるのだから、絵師をめざして良かったと心の底から思った。

「よろしゅうございますか」

古渓が声をかけ、絵を仕舞うために席をはずした。

ふすまが閉ざされ、信春は再び夕姫と二人きりで向き合うことになった。

「いかがでございましたか」

夕姫も心を打たれたらしく、厳粛な表情をしていた。

「ありがとうございました。まさかこのような絵を拝見できるとは思っておりませんでした」

「今のわたくしには、これくらいのことしかできません。でも、長谷川さまが絵師として大成なされるよう、心から願っております」

「ご芳志を無駄にはいたしませぬ。牧谿の境地に近付けるよう、精進を重ねてまいります」

大きな目標が人を育てるものである。信春はこれまで想像もしていなかった絵の境地があることを知り、新たな力がわき上がってくるのを感じた。

「実はお願いしたいのも、絵に関わることでございます」

夕姫が居ずまいを正して用件を切り出した。

「あるお方が、長谷川さまの絵をご所望でございます。日堯上人のご尊像のような絵を描いていただきたいとおおせですが、引き受けて下さいますか」

「あるお方とは、どなたでしょうか」

「今は申し上げられません。わたくしと共に大坂に出向き、そのお方と会っていただきとう存じます」

夕姫がこれほど気を遣うのだから、よほど高貴な相手にちがいなかった。

「摂津では合戦の最中だと聞きました。そのような所に行けるのでしょうか」

大坂では今、織田信長軍と石山本願寺や三好三人衆が熾烈な戦いをくり返している。

比叡山で地獄絵図を目の当たりにした信春は、そうした渦中に再び飛び込むことに大きな不安を感じていた。

「織田勢は今、伊勢長島の一向一揆との戦いに手一杯で、摂津には押さえの兵をおいているばかりです」

「どうしてそのようなことを」

「都にいればいろんなことが耳に入ります。それに大坂まで行く手立ても、そのお方が計らって

下さりますので、何の心配もありません」

「夕姫さまは三条西家に嫁がれ、平穏な暮らしをしておられるとばかり思っておりました。それなのになぜ、このようなことに関わっておられるのでしょうか」

「畠山家を救うためです」

夕姫が急に表情を険しくした。

あなたも主家に恩を受けた者なら、四の五の言わずに覚悟を決めたらどうだと言わんばかりの口調だった。

出発は六月二十九日だった。

翌三十日は住吉大社の大祓《おおはらえ》式である。夏越しの祓とも呼ばれ、半年の間にふりつもった厄災を祓い、残る半年の無事を祈る年中行事である。

この神事は洛中のほとんどの神社で行われるが、水神をまつる住吉大社では特に盛んで、畿内各地から参拝客がおとずれる。

信春と夕姫と初音はこの一行にまぎれ、伏見から宇治川を船で下った。

信春は僧衣をまとい、女御の供をする加持僧をよそおっている。

船は住吉大社の御用船で、大坂で待っているお方が手配したものだった。

信長軍の指揮をとっている佐久間信盛《さくまのぶもり》と石山本願寺は、夏越しの祓の前後三日間は休戦協定をむすんでいる。

いつもは軍用船がひんぱんに行き交っている宇治川も、つかの間の静けさを取りもどしていた。

宇治川は大山崎《おおやまざき》で淀川と合流し、川幅も広く水量も豊かになる。船足も急に速くなり、川風が心地よく頬をなでていった。

夕姫は後ろへ去っていく景色をながめながら涼しげに目を細めている。だが信春は、大坂が近づくにつれて落ち着きを失っていた。

比叡山焼討ちの記憶が体に染みついている。自分では克服をしたつもりでも、再び同じ修羅場に立つかもしれないと思うと、体が強張り足が震えるのだった。

「どうかなされましたか」

夕姫がたずねた。

「いや、何でもありません」

少し船に酔ったようだと、信春は両手で顔をこすった。

「そろそろ昼時分です。おなかがお空きではありませんか」

「ええ、まあ」

「用意して参りました。しばらくお待ち下さい」

夕姫は初音から道中籠を受け取り、手ずから弁当を取り出した。

朱の漆に御所車の蒔絵《まきえ》をほどこした美しいものである。中は四つに仕切り、御飯と肴が入れてあった。

「どうぞ。お清めでございます」

夕姫が青々とした竹筒をさし出した。

水かと思ったが酒である。濁りのない澄み酒で、竹の香りと甘みがほど良くしみ込んでいた。

「ご配慮をいただき、もったいのうございます」

「女子にとって、住吉詣ではめったにない物見遊山です。楽しまなくてはね」

夕姫は自分と初音の分の竹筒を取り出し、なれた手付きで酒を飲み始めた。

公家には古くから飲酒の習慣がある。すでに『源氏物語』の頃には、それを社交のための儀礼にまで高めている。

夕姫も三条西家に嫁いで以来、無理なくそうした習慣になじんでいた。

思いがけない相伴を得て、信春は急に気持が楽になった。静子と久蔵に会うまでは口にするまいという決意の箍《たが》をゆるめてしまい、一口二口と竹筒を傾ける。

やがて緊張がほぐれ、度胸がすわり、何でも来いと気持が高揚していった。

「そうですよねえ。御酒《ごしゅ》は憂いの玉箒《たまばはき》ですもの」

初音が嬌声をあげ、高い声で笑った。

夕姫と話しているうちに羽目《はめ》をはずしたようだが、信春はまさにその通りだとうなずいて気分よく酒を飲み干した。

やがて淀の大曲がりを曲がりきると、上町《うえまち》台地が川に向かって突き出すようにそびえていた。

その上には石山本願寺の七堂伽藍が、城のように巨大な屋根をつらねていた。

石山本願寺は浄土真宗《しんしゅう》中興の祖である蓮如《れんにょ》が、明応《めいおう》五年（一四九六）にきずいたものである。

石山の名は、寺を建てるために必要な礎石が、まるであつらえたようにそろっていた奇瑞《きずい》にち

なんだものだった。

淀川の河口には多くの中洲がある。川はその間をいくつにも分れて流れ、大坂湾にそそいでいる。

信春らが乗った御用船は、川の分れ目にさしかかるたびに南へ南へ舵を切り、寺内町の中心部に向かっていった。

「もしや、本願寺に向かっているのでしょうか」

信春は再び不安に襲われた。

大坂とは聞いていたが、本願寺に入るとは思ってもいなかった。

「そうです。御家門《ごかもん》さまが本堂の側の昇雲閣で待っておられます」

船着場には迎えの輿が来ていた。夕姫は上級公家が用いる四方輿に乗り込み、信春と初音は後ろから徒歩で従った。

なだらかな坂を登って寺の表門にたどり着き、城郭のように配置された伽藍の間を通って本堂に向かった。

要所には鎧に身を固めた兵が警固にあたっている。諸国の一向一揆から選りすぐられた屈強の者たちだった。

輿は昇雲閣の門をくぐり、広い庭に面した本殿の玄関先で止まった。巨大な寺院の中で、ここだけが書院風のみやびやかな造りだった。

寺の者に案内されて対面所に向かっていると、庭の奥から鋭い気合と木刀を打ち合わせる乾い

た音が聞こえてきた。

双肌脱《もろはだ》ぎになった長身の男が、四人の武士と打ち込み稽古をしている。男は鉢巻をしているだけだが、四人は額金《ひたいがね》を巻いて小手とすね当てをつけていた。

「手加減無用。戦と同様に打ち込んで来い」

凜とした声が境内にひびいた。相手の手応えのなさに苛立っていたのである。

「あっ」

夕姫が驚きの声を上げて廻り縁にひざまずいた。

それとほとんど同時に、二人の武士が左右から打ちかかった。男は左からの木刀をはね上げて小手を打ち、返す刀で右の一撃を受け止めて体当たりにいった。

その動きは武士たちより数段速く、演舞のように無駄がない。

残りの二人も隙を見て打ちかかったが、やすやすとかわされて痛打をあびた。

「お控えなされませ。あのお方が、近衛前久《このえさきひさ》さまでございます」

夕姫に袖を引かれ、信春はあわててひざまずいた。

「すると、絵を頼んだお方とは」

「御家門さまでございます。お頭《つむり》が高うございます」

小声で注意され、信春は訳が分からないまま神妙に頭を下げた。

「夕か。案外早かったな」

前久が手ぬぐいで上半身の汗をふきながら歩み寄ってきた。

信春と同じくらい背が高い。なで肩ですらりとした体付きだが、無駄のない鋼のような筋肉におおわれていた。

「御用船を手配していただいたお陰で、難なく参ることができました。かたじけのうございます」

「こちらが本法寺の絵師どのか」

「さようでございます。長谷川信春どのとおおせられます」

「そなたの噂は聞いておる。礼を申すぞ」

前久が親しげに声をかけたが、信春には何のことか分らない。無礼のないように、ひたすら頭を下げるばかりだった。

「比叡山で子供を抱いた僧を助けたであろう。あれは延暦寺の門跡に預けていた我が子じゃ」

「まあ、まことでございますか」

夕姫が驚きの声を上げた。

「思うところあって、昨年八月に延暦寺につかわしておった。信長の焼討ちにあってどうなったかと案じていたが、無事に逃れたと泉涌寺《せんにゅうじ》から知らせがあった」

長谷川という絵師が助けてくれたことは分ったが、どこの誰とも知れないので捜すことができなかった。

ところが先月、本法寺の日堯上人の尊像の噂が伝わってきた。

描いたのは長谷川信春だというので寺に問い合わせたところ、子連れの僧を助けたために京都

奉行から追われていることが分ったという。

「信春とやら、信長の軍勢を追い払った時には見事な働きをしたそうやな」

「とんでもございません。夢中で長刀をふり回していたばかりでございます」

「へりくだらんかてええ。武芸の心得がなければ、五人も六人も倒せるものではない」

腕のほどが見てみたい。庭に出て余の相手をせよ。前久はそう言って信春を庭に引き出し、稽古用の木刀を渡した。

庭には真夏の陽がふりそそぎ、熱いほど砂が焼けている。まわりの木々に幾千とも知れぬあぶら蟬が宿り、耳を圧する鳴き声を上げていた。

「信春、遠慮はいらんぞ」

前久は白い稽古着を着直し、木刀を正眼《せいがん》に構えた。

信春も同じ構えで応じたが、正対したとたんに腕のちがいを思い知らされた。

前久にはどこにも打ち込む隙がなかった。

力も入れず気も集めずにゆるやかに構えているだけなのに、こちらが先に仕掛ければ変幻自在の技をくり出して反撃してくることが目に見えている。

後に柳生新陰流《やぎゅうしんかげりゅう》の極意とされた、後の先を取る構えだった。

信春は動けなかった。先に打ち込めば後の先を取られるのは分っている。前久が仕掛けようとして構えを崩した一瞬の隙をつく以外に勝機はなかった。

暑い。頭上から陽が照りつけ、下からは焼けた砂にあぶられる。

額に大粒の汗がふき出し、頬を伝って流れ落ちるのを感じながら、信春は前久の腰の動きに目をこらしていた。

手や足の動きに気を取られれば、相手の誘いに引っかかる。だが腰を見据えていれば、仕掛けにまどわされることなく対応することができるはずだった。

驚いたことに、前久は顔に汗をかいていなかった。

信春よりいくつも歳上なのに、木目のこまかい色白の肌は青年のように清らかである。どんな状況にあっても、精神力で常の状態を保つ技を身につけた落ち着きぶりだった。

前久は信春の目を見据え、右に回り込みながら右下段の構えに移った。

そうして急に左に踏み込み、脇腹をねらって逆袈裟に斬り上げた。

信春はその一撃を上から叩いて体当たりにいこうとした。ところが木刀を振り下した時には、前久の姿は目の前から消えていた。

踏み込みも斬り上げも誘いで、一瞬のうちに真横に回り込んでいたのだった。

「参りました。とても私の及ぶところではございません」

信春は木刀を前において土下座した。

「そちは絵師や。そないな真似をせんかてええ」

前久は信春の腕をつかんで軽々と引き起こした。

「そやけど見事な腕や。実家は畠山能登守に仕えていたそうやな」

「さようでございます。十一歳まで武芸を叩き込まれて育ちました」

「夕が頼りにするだけのことはある。汗流してくるよって、対面所で待っとき」

対面所は広い池に面していた。外から引いた水が床下を流れて池にそそぐので、外の暑さが嘘のように涼しかった。

「どうやら御家門さまは、信春さまがお気に召されたようでございます。お見事な太刀合いでございました」

夕姫はよほど緊張していたらしい。前久の厚遇に胸をなでおろしていた。

「とんでもない。お情をかけていただいたゆえ、不様な姿をさらさずにすんだだけです」

「それでいいのです。あのお方に勝てる武士は、天下広しといえども何人もいませんから」

「公家の方々も、武芸の鍛練をつまれるのですか」

公家は文化や文芸には精通していても、武芸とは無縁だという印象が強い。

信春もそう思っていただけに、前久の強さに衝撃を受けていた。

「このような時代ですから、公家も陣参衆《じんさんしゅう》を組織して戦にそなえております。しかし御家門さまのように強いお方は、他にはおられません」

「関白の位についておられた方が、どうして武芸にまで通じておられるのでしょうか」

「先々代の公方さまが、塚原卜伝《ぼくでん》という武芸者から剣術を学んでおられたことはご存知ですか」

「噂は聞いたことがあります。英邁《えいまい》の誉高く、武芸にも秀でておられたとか」

第十三代将軍足利義輝のことだ。

義輝は幼い頃から剣術に打ち込み、卜伝から一の太刀の奥儀をさずけられるほどの域に達して

いた。

「御家門さまは義輝さまの従兄弟で義弟にあたられます。幼い頃から兄弟のようにして育たれたゆえ、剣術の修行も一緒になされたのでございます」

「関白さまと公方さまが、ご一緒に剣の修行を……」

信春には想像もできない光景だった。

「お二人は同い年なので、互いに競い合っておられたのでございます。上達は向こうが早かったが、気性の激しさでは俺のほうが勝っていたと、御家門さまがおおせでございました」

対面の前に知らせておいた方がいいと思ったのか、夕姫が前久の来歴をこと細かに語り始めた。

前久は天文《てんぶん》五年（一五三六）、関白太政大臣近衛稙家《たねいえ》の長男として生まれた。信長より二つ歳下、秀吉より一つ歳上という年回りである。

朝廷には古くから、藤原北家《ほっけ》の出身者しか摂政、関白になれないという不文律がある。この北家が鎌倉時代に近衛、九条、鷹司《たかつかさ》、一条、二条家に分立し、五摂家《ごせっけ》と呼ばれるようになった。

近衛家は五摂家の筆頭で、氏長者《うじのちょうじゃ》を歴任してきた公家社会最高の家柄である。

前久も九歳で権大納言、十二歳で内大臣、十八歳で右大臣と順調な昇進をとげ、十九歳で関白、氏長者に任じられた。

ところがこの頃は、朝廷も幕府も戦国の争乱に巻き込まれて低迷をつづけていた。

将軍は重臣の反乱を押さえきれずにたびたび京都から逃げ出していたし、幕府の支援を得られなくなった朝廷は、天皇の即位の礼さえ行えないほど困窮していた。

前久の父稙家はこうした状況を打開しようと、妹の慶寿院《けいじゆいん》を十二代将軍足利義晴《よしはる》に嫁がせて公武の結束を強化した。

義晴と慶寿院の間に生まれたのが義輝、義昭だから、前久とは従兄弟の関係になる。

しかも稙家は前久の姉の御いちゃの局《つぼね》を義輝に嫁がせたので、二人は義兄弟にもあたる。

こうした濃密な関係の中にあって、競い合うように学問や武芸に打ち込んでいたが、前久はこれだけでは飽き足りなかった。

「弱いままの幕府と朝廷が身を寄せ合っているだけでは、現状を変えることはできない。御家門さまはそうお考えになったのでございます。そこで有力な戦国大名の支援を得て、主上と公方さまを中心とした室町幕府の体制を立て直そうと、西国に下向して毛利元就《もうりもとなり》公を頼ろうとなされました」

ところが周囲の反対にあってはたせないまま悶々としていた時、越後の長尾景虎（上杉謙信）が五千の大軍をひきいて上洛した。

この年前久二十四歳。景虎は三十歳である。二人は初めて会った時から意気投合し、壮大な戦略をねり上げた。

景虎が関東管領家の上杉家を相続し、関東の軍勢を結集して小田原城の北条家を下す。その後上洛軍を起こし、足利義輝を助けて幕府を立て直すというものである。

しかも前久の尋常ならざるところは、関白在職のまま景虎とともに越後に下向し、関東出陣にも同行すると決めたことだった。

前久が越後に向かったのは、永禄三年(一五六〇)九月十九日。一行は敦賀で船に乗り、十月中頃に春日山城に到着した。

この頃景虎は、関東平定をめざして上野《こうずけ》の厩橋《うまやばし》城(前橋市)に入っていた。

翌年三月には関東の軍勢十万を集めて小田原城を包囲。北条氏を陵駕する勢いを示した上で、鎌倉の鶴岡八幡宮の社前で関東管領職を受け継ぎ、上杉政虎《まさとら》と名をかえた。

この襲名式に、前久は出席していないが、前久が下向するという知らせが関東の諸将に与えた影響は大きかった。

景虎が十万もの大軍を集めることができたのも、異論なく関東管領に就任できたのも、現職の関白で藤原氏の氏長者である前久の威光があったからだった。

前久は景虎と力を合わせれば関東平定は容易だと思ったようだが、北条氏の力は想像以上に大きかった。

小田原城の城主は、名将の誉高い北条氏康《うじやす》である。しかもこの頃には隣国の武田や今川と三国同盟を結び、盤石の構えを取っていた。

景虎は一ヵ月以上も城を包囲して氏康の降伏を待ったが、城中は一向に弱る気配はない。かえって自軍の方が兵糧や物資の不足に悩まされるようになった。

しかも武田信玄が、景虎の留守をついて川中島から越後へ兵を進めようとした。そのために景虎は急きょ帰国せざるを得なくなり、前久の夢はあえなく潰《つい》えたのだった。

「御家門さまは失意に打ちひしがれて都にお戻りになりました。そのお悲しみに追い打ちをかけ

るように、ご帰洛の三年後には公方さまが三好三人衆と松永弾正《だんじょう》に弑逆《しいぎゃく》される事件が起こったのでございます」

剣の達人だった義輝は居室に十数本もの刀を立て、血のりで斬れなくなるたびに刀を替えて奮戦したが、次々と攻め入ってくる敵にあえなく討ち取られた。

義輝の母慶寿院と正室御いちゃの局も殺され、前久は叔母と姉と盟友義輝を同時に失った。

しかし義輝が死んだからといって将軍家を絶やすわけにはいかない。涙を飲んで三好三人衆が推す足利義栄《よしひで》を将軍位につけ、朝廷の側から支えていくことにした。

それからわずか七ヵ月後に、織田信長が足利義昭を奉じて上洛。三好勢をやすやすと蹴散らした。その渦中で義栄は不遇な死をとげ、義昭が十五代将軍に就任した。

前久もこの事態を受け容れようとしたが、義昭は兄の仇である三好三人衆に協力した前久を許そうとしなかった。

そこで前久は石山本願寺に潜伏して事態の推移を見守ることにした。

門主の顕如とは古くから好《よしみ》を通じているし、顕如の子の教如《きょうにょ》を猶子《ゆうし》（名目上の養子）にしている。寺にいれば我が家同然に過ごせる上に、三好との連絡を取るにも好都合だった。

義昭と信長の関係は、まもなく齟齬をきたすようになった。信長が義昭を将軍にしたのは天下取りに利用するためで、幕府を再建するためではなかったことが次第に明らかになったからだ。

「孤立なされた義昭公は、御家門さまに帰洛して政務を補佐してほしいと何度もお頼みになりました。ところが御家門さまは応じられませんでした。信長の狙いは天下布武。従来の体制をすべ

て否定し、自分を頂点とした政治の仕組みをきずくことです。その方針を改めさせない限り、いくら義昭公に協力しても朝廷と将軍家を中心にした秩序を回復することはできないと、お分かりになっていたのでございます」

そこで前久は独自の道を行くことにした。信長に敵対する勢力を結集して包囲網をきずき、織田家を潰そうとしたのである。

呼びかけたのは阿波、淡路、河内に勢力を保っている三好三人衆と、南近江の六角承禎、北近江の浅井長政、越前の朝倉義景。そしてお膝元の石山本願寺と比叡山延暦寺である。

この計略は極秘のうちに進めたので、当時も今も真相を知る者は少ないが、前久が中心人物であったことを示す確かな証拠が、島津《しまづ》家の「家分け文書」に収録されている。

前久が島津貴久《たかひさ》にあてた元亀元年（一五七〇）八月十二日付の書状で、内容は次の通りである。

〈はやばや帰洛せしむべきの由、再三申し越し候といえども、いったん面目を失い候間、今に至りては覚悟に及ばざる由、申し放し候。しかれば江州南北、越州、四国衆ことごとく一味せしめ候て、近日拙身も出張せしめ候。すなわち本意を遂ぐべく候〉

義昭が早く帰洛してくれと何度も申し入れてきたが、いったん面目を失った身なので、応じることはできないと突き放した。この上は六角、浅井、朝倉、三好を身方にし、自分も近々出陣して信長打倒の本意をとげるつもりである。

そう宣言し、この一ヵ月後には本願寺と一向一揆を挙兵させ、信長軍に襲いかかった。

これに呼応して浅井、朝倉勢が近江の堅田まで攻め上り、織田方の城を陥落させた。伊勢長島

でも一向一揆が挙兵し、小江木城を攻め落として信長の弟信興《のぶおき》を討ち取った。

信長は南北から挟撃され、身動きできない窮地におちいったが、正親町天皇に和議の勅命を出させ、将軍義昭を立ち会い人にして浅井、朝倉と電撃的に和を結んだ。

ところが翌年の九月十二日にはこの誓約を踏みにじり、比叡山焼討ちを強行して信長包囲網を分断したのだった。

「信春さまはちょうどその時お山に入られ、難にあわれたのでございます」

夕姫は強引に話をそこに結びつけ、これも御縁にちがいないと言った。

「御縁とは、どういうことでしょうか」

信春は夕姫の話しぶりに反感を覚えた。

目の前で何百人もが殺された光景が、今も脳裡に焼きついている。縁などという空々しい言葉で語ってもらいたくなかった。

「あの惨状の中で御家門さまのお子さまと出会い、お助けになられたことです。その御縁によって、信春さまはこうして会い難いお方にお目にかかっておられます」

「それほどのお方ですか、近衛さまは」

「当たり前です。お家柄やお立場の尊さばかりではありません。この国を支えていかなければならないという気高いお志を持っておられます。そのためにどれほどご苦労をなされてきたか、ただ今申し上げた通りでございます」

夕姫の目が熱をおびて妖しく輝いている。その変化が、前久への心酔の度合いを表していた。

「夕姫さまは畠山家を救うために、このようなことに関わっているとおおせられましたね」

「ええ、申しました」

「近衛さまに、そのようなお力があるのですか」

「わたくしはそう信じています。それに公家の社会には門流や家礼《けらい》という仕来りがあって、武家の主従と同じように上のお申し付けには逆らえないのです」

門流とは一門の末流、家礼とは家来とほぼ同じ意味である。公家の身分は家柄によって厳しく定められていて、どの家に生まれたかによって昇進できる官位も決っている。

こうした階層の頂点にいるのが五摂家筆頭の近衛前久なのだから、すべての公家は前久の家来と言っても過言ではなかった。

「近衛さまが私を連れてくるようにお申し付けになった、ということですか」

「そうです。日尭上人のご尊像の評判を聞き、信春さまがお子さまを助けられたとお知りになって、是非とも教如さまを描いてほしいとおおせられたのでございます」

「夕、それはちょっと違うやろ」

前久が苦笑しながら上段の間に現れた。

生絹《すずし》の一重に青い絽の水干を着て、涼やかな烏帽子をかぶっている。さっきとは見違えるほどの優雅さだった。

「まあ、お聞きあそばされていたのでございますか」

夕姫が首まで真っ赤になってうろたえた。

「嘘をつかなならんのは、我ら公家の宿命やけどな、相手を見なあかん。そのあたりが、まだ分っとらんようやな」

「わたくしは御家門さまのお申し付けで、このお方を案内いたしました。決して偽りではございません」

「そらその通りやが、俺に信春のことを教え、取り立てるように進言したのはそちや。なんでそれをちゃんと話さんのや」

「まあ、そうでしたでしょうか」

夕姫は落ち着きを取りもどし、臆面もなく白を切った。

「そうやったと思うが、ちごたか」

前久は話をあいまいにして夕姫の逃げ場を作ってやった。

「夕が言うた通り、来てもろたのは教如の絵を描いてもらうためや。信春、引き受けてくれるか」

「教如さまと申しますと、こちらのご門主の」

「顕如どのの息子や。俺の猶子でもある」

まだ得度したばかりの若僧だが、日堯上人のように見事な絵を描いてほしい。前久は驚くほど率直に用件を語った。

「何ゆえ絵をご所望でしょうか」

「言わなあかんか。そんなことまで」

「日堯上人はご自分の悟りが至らなかったことを後の世の修行者に伝えるために、ご尊像を描いてほしいと頼まれました。その思いをしっかりと受け止めることができたゆえ、絵に命を吹き込むことができたのでございます」

信春は引き下がろうとしなかった。

相手がいかに高貴な方とはいえ、絵の世界に身分の上下はないと、いつの間にか自然に思えるようになっていた。

「そうか。さすがに偉いもんやな」

前久は満足気にうなずき、絵が必要なのは信長と戦うためだと言った。

「あんな魔王を、いつまでものさばらせておくわけにはいかん。早く息の根を止めんと、将来に禍根を残すことになる」

「そのようなことが、できるのでございましょうか」

「そちは信長が憎くはないんか」

「もちろん憎いです。しかし……」

比叡山を襲った信長軍の強さと恐ろしさが、信春の胸に染みついている。あんな軍勢を指一本で動かす男を、倒せるとは思えなかった。

「たとえどれほど強かろうと、屈するわけにはいかんのや。比叡山の焼討ちも言語道断やが、それ以上に許せんのは、信長が南蛮人の手先になってこの国の国体を壊そうとしていることや」

「南蛮人と申されますと」

「ポルトガル人や。信長は帝の勅命にそむいてイエズス会の宣教師が都で布教をすることを許した。これは単に信仰ばかりの問題やない。ポルトガルがイエズス会を通じて、信長の天下取りを支援しとるからなんや」

五摂家筆頭の当主だけあって、前久は世界の現状についてもかなり詳しく知っていた。

この頃の世界は、大航海時代の真っただ中にあった。

コロンブスやバスコ・ダ・ガマの活躍によって世界への航路を開いたスペインやポルトガルは、キリスト教の布教を大義名分にして次々と異教徒の国を征服し、世界にまたがる大帝国をきずき上げていた。

スペインとポルトガルが、ローマ法王の仲介によって一四九四年にトルデシリャス条約、一五二九年にはサラゴサ条約をむすび、世界を二分して互いの植民地獲得圏を定めたことが、このことを象徴的に表している。

彼らのやり方は、まず宣教師を送り込んで布教と情報収集にあたらせ、これと見込んだ実力者がいれば、貿易の利を与えたり軍事的な支援をして強大な勢力に育て上げる。

そうして国家の支配者にした後に傀儡《かいらい》化し、植民地に組み込んでいくのである。

むろん信長とて、彼らのこうした戦略は承知していた。だが南蛮貿易によって上がる巨額の利益と、硝石や鉛、軟鋼《なんこう》、真鍮《しんちゆう》などの軍需物資を手に入れるには、イエズス会やポルトガルとの協力が不可欠だった。

ちなみに軟鋼は鉄砲の銃身の内側（これを真筒《しんづつ》という）を作る時に用いる純度の高い低炭素の

鉄。真鍮は鉄砲の引金や火挟みなどのカラクリを作る時に用いる銅と亜鉛の合金である。

いずれも日本では生産する技術がなく、すべて輸入に頼っていた。

この輸入路を押さえていたのがポルトガルやイエズス会だから、鉄砲を大量に使えば使うほど彼らへの依存を強めることになる。その見返りに要求されることも多くなり、天下統一を急がざるを得なくなる。

信長が比叡山焼討ちを強行した裏には、実はこうした事情があった。

「そこでや、俺はもう一度身方をつのって信長を倒すことにした。今度は浅井、朝倉や三好だけやない。甲斐の武田信玄を動かすんや」

前久は自信と決意に満ちているが、話が大きすぎて信春には半分も理解できなかった。

「夕、そこの矢立てと紙をとってんか」

夕姫は嬉しそうに矢立てから筆を取り出し、手を重ねるようにして前久に渡した。

「熱っぽい手やな。外の暑さにやられたんとちがうか」

前久は紙の上に地図を描き、包囲網に加わる大名の領国を書き入れた。

浅井、朝倉、三好は従来のままだが、これに甲斐、信濃、駿河を領する武田信玄が加わり、信長の領国を東西から挟み撃ちにする。

これには越後の上杉謙信も、信玄と和議をむすぶという形で協力することになっていた。

「この策を成功させるには、朝倉と武田、そして本願寺の結びつきを強めなならん。そこで盟約のための縁組みをすることにしたんや」

口で言うても分らんやろと、三者の関係を図で示しながら話をつづけた。

「武田信玄はうちの門流の三条公頼《きんより》の娘を裏方に迎えとる。顕如どのの裏方も公頼の娘やから、二人は義理の兄弟になる。そして今度、顕如どのの跡継ぎの教如が朝倉義景の娘を娶《めと》ることになった。これがどういうことか分るか」

「はあ、一応のことは」

話はどんどん政争の方に進んでいく。しかも畠山義続から命じられたこととは較べものにならない規模である。

信春はその計略を内々に打ち明けられる喜びと不安におののきながら、ここまで話に深入りしたからには断わることはできまいと観念していた。

「この縁組みによって、朝倉と本願寺が親戚になるばかりやない。教如は信玄の義理の甥やから、武田と朝倉の間柄も近くなる。それに教如は俺の猶子やから、陰ながら力を貸すこともできる」

いわば朝廷の重鎮である近衛家を中心として、武田、朝倉、本願寺が連合するようなものである。

前久は信長を倒すにはこれしかないと思い定め、昨年六月に自ら越前一乗谷に出向いて縁談をまとめたが、まだ結納を交わしていない。

そこで近々結納の使者を送り、朝倉義景の娘をもらい受けるつもりだが、その時に教如の肖像画を添えてやりたい。信春に白羽の矢を立てたのは、その絵を描かせるためだった。

「この盟約がなるかどうかは、そちの絵の出来次第や。どや、引き受けてくれるやろな」

上からのしかかるように迫られ、信春の反発心がむらむらとわき上がった。

絵を描くかどうかは私が決める。あんたらにとやかく言われる筋合いはない。そんな言葉を叩き付けてやりたくなった。

その様子を見て、夕姫は心配になったらしい。

「長谷川さま、畠山家のためにもお願い申し上げます」

口を添えて返事をうながした。

これがいっそう信春の癇にさわった。

夕姫は前久の方しか見ていない。行き先も告げずに本願寺に連れ込み、ぬきさしならない立場に追い込むやり方は、兄の武之丞とまったく同じだった。

「信春、何を迷うとるんや」

前久の声が鋭くなった。

「信長が権力の座にいる限り、そちは絵師として世に立つことはできん。そんなら腹をすえて倒すしかないやないか」

「それは承知しておりますが、私は七尾にいる時に政争に巻き込まれ、取り返しのつかない過ちを犯してしまいました」

それゆえ引き受けるにあたっては、聞き届けてもらいたいことがあると言った。

「何や、言うてみい」

「都に出る時、越前敦賀に妻子を残して参りました。お求めの絵が仕上がったなら、二人を迎え

に行きとう存じます」

「構わんで。一乗谷に使者をつかわす時に、一緒に敦賀まで行ったらええ」

「その後、都につれて来たいと存じます。どこか安全な住まいをご用意いただけないでしょうか」

「そうやな。信長さえ倒せばおやすい御用やが」

前久はしばらく考え込み、仙洞御所にでも住むかとたずねた。

「ご、御所でございますか」

「そうや。あそこなら信長かて手が出せんやろ」

前久は十一歳の時、今上《きんじょう》の父である後奈良天皇の猶子になっている。仙洞御所に部屋を確保するくらい容易にできるのだった。

「あまりに恐れ多いことでございます。住まいのことはご放念下されませ」

信春は身をすくめて引き下がった。

「さようか。ほんなら別の手を考えるよって、今日からここに詰めて仕事にかかってくれ」

教如は外出中なので明日引き合わせると、前久は何もかもお膳立てをととのえていた。

「恐れながら、もうひとつお願いがございます」

「何や」

「いい絵を描くためには、質の高い絵具が必要です。手に入れることができましょうか」

「それなら心配せんかてええ。他にも仕事をしとる絵師がおるよってな」

前久が手を打ち鳴らし、お付きの者に松栄を呼んで来いと申し付けた。

ややあって現れたのは、五十半ばの小柄な老人だった。

白いあごひげをたくわえた好々爺で、風折烏帽子をちょこんとかぶっている。仕事中だったようで、麻の小袖の所々に絵具がついていた。

「狩野松栄という者や。そんならこれで話は決ったな」

たまには太刀合い稽古の相手もしてくれと言い残し、前久は夕姫の腰を抱くようにしていずこへともなく立ち去った。

「お初にお目にかかります。長谷川信春という者でございます」

信春は前久と会っている時より緊張した。

狩野松栄といえば狩野派の総師で、永徳の父親なのである。

「狩野でございます。よろしくお願い申し上げます」

松栄は驚くほど腰が低く、本法寺の日堯上人の尊像には感服したと言った。

「ありがとうございます。お父上の元信《もとのぶ》さまには越前一乗谷でお目にかかったことがございます」

曾我派の絵を学びに行った時、朝倉家に招かれて下向していた狩野元信に会い、手ほどきを受けたことがある。

元信は狩野派の二代目だが、永禄二年（一五五九）に他界したため、松栄が家をついだのだった。

「あなたのことは父から聞いたことがあります。今はまだ荒削りだが、やがて名をなす力量だと申しておりました」

「あの元信さまが……」

信春は驚きと感激に言葉を失った。

教えを受けたのはただの一度。それも三日間だけだった。若かった信春にとって宝物のような思い出だが、元信が自分のことを覚えていてくれたとは想像さえしていなかった。

「ここでお目にかかったのは、父の引き合わせかもしれません。画材はすべてそろっていますので、遠慮なくお申し付け下さい」

松栄は信春の手を取るようにして隣の客殿に案内した。

本堂と昇雲閣をつなぐ建物で、儀礼を行うための二百畳ほどの大広間がある。その襖絵を、朝倉家との婚礼にそなえてすべて描き直していた。

「あの、ご子息はおられないのでしょうか」

仕事に打ち込んでいる何百人もの中に永徳の姿をさがしたが、それらしい絵師はいなかった。

「あれは信長さまのご用をおおせつかっております。あまり大きな声では言えませんが」

松栄は先代証如《しょうにょ》の頃から本願寺の御用をつとめているが、永徳は新しい可能性を求めて信長のもとに出入りしているという。

「新しい可能性とは、どういうことでしょうか」

「信長さまのもとで西洋の知恵や技法を学び、新しい日本画を作り上げたいと申しておりまし

た」

その日から信春は本願寺に住み込み、教如の肖像画に取り組むことになった。

松栄は思いがけないほど好意的で、いつでも仕事場に出入りしていいと言う。

そのお陰で、狩野派の高弟たちとも知り合い、障壁画の技法を間近で学ぶことができたのだった。

第四章　比翼の絆

教如の絵は七月中頃に完成した。

名を光寿《こうじゅ》という。まだ十五歳なので法衣は深緑色にして若々しさを強調し、手には菩提樹の数珠を持たせている。

面長で眉と目が細く、眉間が広い。母方の三条家の血を受けた雅びやかな顔立ちである。だが長い鼻と引き締まった薄い唇には、意志の強さと聡明さが表れていた。

長谷川信春は絵具が乾くのを待ち、出来映えを入念にたしかめた。

不足はない。教如の特長をよくとらえているし、色の調和もとれている。

だが、何かが足りない気がした。

若者の表情はもともと物足りないものだ。人生の試練に直面していない顔には、大人のように歳月が刻みつけた個性が表れないからである。

しかし、その分若い可能性がある。手つかずの豊穣な大地のように先につながる未来の時間が

眠っている。そこをとらえきれていないと、信春は頭をかかえた。

この絵の中で今の教如は生きているが、未来を予見させるほどの深みと迫力に欠けていた。

信春はじっと絵を見つめ、どうすればいいか考え込んだ。

出来てはいる。だが成ってはいない。その成らざる所を突き抜けるには、何が必要なのか……。

こうした迷いに落ち込むと、絵師は辛い。作品の前に座り込んで長々と考え込んだが、どうしていいか分らなかった。

時にはこれでいいと思う。時には駄目だと絵をズタズタに切り裂きたくなる。二つの思いの間で、振り子のように頼りなく揺れていた。

その夜、信春は眠れなかった。夜具に横になったものの、自分の未熟に対する悔いと怒りがこみ上げて、一睡もできなかった。

障子が朝の光にほんのりと明るくなった頃、鉄砲のいっせい射撃の音が聞こえた。何百挺もの鉄砲が猛烈な勢いで撃ちかけられ、数千の軍勢が喊声《かんせい》を上げながら攻めかかってくる。

石山本願寺を包囲した信長軍が、眠りが深い明け方を狙って奇襲をかけてきたのだ。

信春は恐怖に身をすくめた。比叡山での凄惨な光景が脳裡をよぎり、顔が引きつり体中が総毛立って、呼吸《いき》をすることさえできなかった。

(逃げなければ、逃げなければ……)

頭の中でその言葉が早鐘のように鳴り響くが、手足は凍りついたように動かない。まるで金縛りにあったようだった。

寺にこもった一揆勢も反撃に出たらしい。信長軍に劣らぬほどの射撃音が間近で聞こえた。これは雑賀の鉄砲衆で、鉄砲の扱いも射撃の腕も天下一とうたわれていた。

しかも籠城用に八匁玉（直径十七ミリ）を撃ち出す大型銃を装備している。それを撃つとひときわ大きな爆発音がして、いかにも頼もしげだった。

信春は恐慌から立ち直り、夜具に大の字に寝そべった。天井を見つめながら大きく呼吸をすると、胸の鼓動も次第にしずまっていく。

（煮るなり焼くなり好きにしろ）

そんな風に開き直ると、命ひとつにしがみつきたがる自分の弱さが可笑しくもある。

日堯上人が言ったように、末那識にとらわれた凡夫の一人にすぎないのだった。

（ようし、それなら）

信春は持ち前の反骨心をむき出しにして、銃撃戦の中で自分の絵に向き合うことにした。

絵の出来は相変わらずだが、教如の表情がちがって見えた。さっきの信春と同じように、鉄砲の音におびえている気がした。

若者は未来の時間が多いだけ、死によって失うものが大きい。だから死に対する恐怖心が大人よりも強いのは当然である。それでもなお、教如は二年前から戦の渦中に身をおき、父とともに本願寺を守り抜こうとしている。

この絵に欠けているのは、教如のそうした思いだった。死と向き合う不安と恐怖、それに打ち克とうとする信念と覚悟。

それをとらえきれていないから、表情が内側から輝いてこないのである。

信春は本法寺で見た日親上人の絵を思い出した。対象をとらえる目が深ければ、技法などは二の次である。

（鍋冠《なべかぶり》上人の絵だ）

そのことに思い到り、教如の心に寄り添い、若さゆえの苦悩と可能性を慈しみながら、始めから描き直すことにした。

新しい絵は二日で出来上がった。その間信春は一睡もしていない。

今度は文句のない仕上がりだった。今の教如の姿ばかりか、未来にたどる波瀾万丈の人生まで予見するような奥行きがあった。

信春は仮眠をとってから近衛前久に披露しようと横になったが、四半時もしないうちに目がさめた。この絵を前久が見たら何と言うか気になって、おちおち眠っていられなかった。

信春は板に止めたままの絵を布につつみ、昇雲閣の御座の間をたずねた。

前久は小袖に裁《た》っ着《つ》け袴という出立ちで庭に出て、空をながめていた。燦々《さんさん》とふりそそぐ夏の陽をあびながら、遠い目をして何かを追っている。

いったい何事かと思ったが、右腕に革の小手を巻いているので鷹を飛ばしているのだと分った。

鷹ははるか上空にいて豆粒ほどにしか見えないが、前久が右に腕をふると右に飛び、左にふると左に向かった。

これもまた武家など足許にも及ばない見事な腕前である。それもそのはずで、前久は後に鷹狩

りの作法と技法を百首の歌に詠み、『龍山公鷹百首』という形で後世に残している。

これは信長、秀吉、家康《いえやす》らがこぞって写本を求め、鷹狩りの手本にしたほど優れたものだった。

前久は廻り縁に控える信春にちらりと目をやり、右腕に左手をそえて体ごと後ろに引いた。

すると上空を旋回していた鷹が一直線に急降下し、地上すれすれで水平飛行にうつって、前久の小手にぴたりと止った。

こげ茶色の羽根に白色が少し混じった精悍な鷹だった。

「よしよし、ちっとは腹がへったやろ」

前久は愛おしげに頭をなで、脇においた餌畚《えふご》から生肉を取り出した。

それを自分の口で細かく裂いて鷹に与えている。血の汚れを忌む公家社会では考えられない奔放な行動だった。

「寺におると鷹野にも出してやれんよってな」

こうして時々空を飛ばしているのだと、前久は井戸端で足を洗った。

「お求めの絵が、出来上がりました」

「そうか。見せてみい」

「ここでよろしゅうございますか」

「構わへん。ただし陽が当たらんようにな」

夏の太陽は強すぎて岩絵具が室内とはちがった発色をする。前久はそのことをよく知っていた。

信春は室内に入って包みを解き、前久に向けて絵を立てた。これでどうだと言いたいほどの自

信作だが、前久はじっと絵を見つめるだけで何の反応も示さなかった。

「あの、いかがでございましょうか」

「うむ、惜しいな」

前久はそうつぶやいて手ぬぐいで足をふき、酒を飲むかとたずねた。

「この暑さや、冷やした酒《ささ》は旨いぞ」

「は、はあ」

惜しいという一言に衝撃を受け、酒を飲む気にはなれなかった。

「そうや。松栄も呼ぶよってその絵を見せてやれ」

酒宴は御座の間でするという。信春は宙ぶらりんの気持のまま、中国古代の五帝を描いた部屋で待っていた。

このふすま絵も狩野派の手になるものである。だが元信なのか松栄なのか、そこまでは分らなかった。

やがて前久が松栄を従えて入ってきた。

松栄は信春の絵をじっと見つめると、白いあごひげをさすりながら二、三度うなずいた。

「どや、そちも酒を食べるか」

「喜んで相伴させていただきます」

松栄がにこやかに応じた。

前久が手を打つと、侍女たちが酒肴をのせた折敷をはこんできた。涼しげなガラスの瓶に酒が

入れてある。肴はイワシの丸干しと梅干しだけだった。

「その前に、教えていただきたいことがございます」

信春は息を詰め、惜しいとはどういう意味だろうかとたずねた。

「朝倉にやるのが惜しい。そう言ったんや」

前久はガラスの酒盃を呑み干し、晴れやかに笑って信春に回した。

信春は無言のまま受け取った。

前久に認めてもらえた安堵に、体の力が抜けていく。情ないことに嬉し涙までこみ上げてきた。

「松栄、そちはどう見た」

「見事なご尊像でございます。見えないものまで描き出す筆の力に感服いたしました」

これだけの肖像画を描ける者は狩野派の高弟にもいないと、松栄は手放しで誉め上げた。

「そないなことを言うてええんか。狩野派の牙城がおびやかされるかもしれんぞ」

「絵とは悟りに向かう細道のようなものでございます。誰かがそこを越えてくれたなら、他の者の励みになりまする」

「そんならこの先も、信春の面倒を見てくれるか」

「もちろんでございます。絵の精進をつづけられる限り、どんな協力も惜しみませぬ」

松栄は脇差の鯉口《こいぐち》を切り、金打《きんちょう》をした。

約束を違えぬという誓いだった。

「信春、何をぼおっとしとるんや。弟子入りを許されたんやぞ。固めの盃を回さんかい」

信春はあわてて盃を飲み干し、うやうやしく松栄に差し出した。

「お先にご無礼をいたしました。ご指導をよろしくお願い申し上げます」

「あなたの絵には真心がある。この先どんなに辛いことがあろうと、その姿勢を忘れずに進んで下さい」

松栄はにこやかに盃を受け、能役者のように端正な所作で飲み干した。

「明日にも越前一乗谷に使者をつかわす。それと一緒に敦賀まで行ったらええ」

すでに丹波を抜けて日本海に出られるように手配しているという。

「恐れながら、妻子とともに洛中に住むことはできるのでございましょうか」

「これまで通り、本法寺に住んだらどうや」

「しかし日堯さまがご他界なされましたので」

庇護者を失い、肩身の狭い立場に追いやられつつあった。

「先の帝のご位牌所《いはいじょ》にするよって、寺の者も文句を言わんやろ。信長かて滅多なことでは手が出せんようになるはずや」

後奈良天皇のご位牌を安置して寺の格式を上げ、信長軍が踏み込めないようにするという。朝廷をつかさどっている前久ならではの芸当だった。

翌日未明、信春は越前一乗谷に向かう前久の使者とともに、石山本願寺を抜け出した。

信長軍の目をさけて船で尼崎まで行き、そこから伊丹、池田を通って丹波の黒井城（丹波市春

日町）にたどり着いた。

黒井城の城主である赤井直正《あかいなおまさ》は、前久の妹を妻にしている。むろん信長包囲網にも加わっていて、一行を丁重にもてなし、警固の者をつけて丹後の由良まで送りとどけてくれた。

ここから船に乗り、若狭湾を横切って越前三国湊に直行した。前久の使者たちはここで川船に乗りかえ、九頭竜川《くずりゅうがわ》をさかのぼって越前一乗谷に向かった。

信春はそのまま港で一泊し、翌朝敦賀行きの商人船に便乗した。

一年前に七尾から出てきた時も、この航路をたどった。だが北近江まで信長軍が侵攻しているというので、静子と久蔵を妙蓮寺にあずけて一人で都に向かうことにした。

その時には一月くらいで迎えに来ると言ったが、比叡山の焼討ちに巻き込まれ、京都奉行から追われる身となって、結局一年もの間約束をはたせなかったのである。

信春は三方を山に囲まれた港の景色をながめながら、ここを旅立った日のことを遠い昔のように感じた。一年の間にあまりにいろんなことがあって、こうして無事にもどって来られたことが夢のようだった。

港の西側に笙《しょう》の川が流れ、川向こうに気比《けひ》の松原が広がっている。

松原には白い法被を着てねじり鉢巻をした男たちが大勢集まり、松の大木を取り巻いていた。

どこからか笛や太鼓の祭り囃子《ばやし》が聞こえ、港も町もそぞろに浮き立っていた。

「あれは気比《けい》さん祭りの松伐《き》りや」

同じ船に乗り合わせた男が教えてくれた。

気比神宮では八月三日、四日（現在は九月三日、四日）に祭礼がおこなわれ、いくつもの山車《やま》が出る。山車には神の依り代となる松の大木を立てるので、毎年八月一日に伐り出すのだった。

「山車には武者人形や水引幕が飾ってあってな、そりゃあ豪勢なもんやで」

地元の出身だという男は、明後日だから是非とも見て行けという。領主の朝倉義景は家の存続をかけて織田信長との決戦にのぞもうとしていたが、敦賀の町は祭り一色に染っていた。

信春は港から真っ直ぐに妙蓮寺に向かった。

途中に気比神宮の大鳥居があり、いくつもの御輿《みこし》が御霊《みたま》を入れるために集まっている。それを横目に見ながら、足を止めようともしなかった。

一年の間連絡もしなかったのだから、静子と久蔵はさぞ心細い思いをしたことだろう。薄情を恨み、腹を立てているにちがいない。そう思うと申し訳なさに胸が痛み、足取りは自然と早くなった。

妙蓮寺の門は閉っていた。

門扉には「祭礼御用のため閉門する」という趣旨の張り紙がしてあった。

信春は気が急くままに門を叩き、

「長谷川信春でございます。門を開けて下され」

本堂まで届くように声を張り上げた。

やがて狭い通用口が開き、小柄な男が顔を出した。信春の道案内をした源八という寺男だった。

「源八、無事であったか」

信春は片膝をついて手を取ったが、相手はしばらくきょとんとしていた。

「私だよ、信春だ。あの折には世話になった」

「ああ、ご出家なされたのでございますか」

「本法寺さまにかくまってもらったので、僧の姿をしている。お前も無事に戻れて何よりだ」

「わしはあれから花折峠の方に逃げました。しかし織田の軍勢にはさみ討ちにされたので、杉の大木に登って身をひそめておりました」

そうして何とか助かったが、眼下で何百人もが殺された。その死体が放置されたままなので、恐ろしくて翌朝まで身動きできなかったという。

「それ以来、お山に入ろうとすると体が震えて、人を案内することができなくなりました。今はこうして寺の雑用をしております」

「私も織田の軍勢に追われてようやく逃げのびた。早く迎えに来なければと思っていたが、都から出ることさえ出来なかったのだ」

信春は手短かに事情を話し、ようやく静子と久蔵を都につれていけるようになったので会わせてもらいたいと言った。

「お二人は、もうここにはおられませんよ」

「いないって、どうして」

今度は信春がきょとんとする番だった。

「半年ほど前に、寺を出て行かれたのでございます」

「どこへ行った。なぜ出て行ったのだ」

「さあ、詳しいことは存じませんので」

源八は素っ気ない返事をして通用口を閉めようとした。

「待ってくれ。寺で預かってくれる約束だったではないか」

信春はあわてて戸板を押さえた。

「わしには分りません。和尚がおられる時に来て下さい」

「では、どこに行ったかだけでも教えてくれ。頼む」

「本当に知らないのでございます。手を離さないと怪我しますよ」

戸板をはさんで押し問答をしていると、外から日達和尚がもどってきた。祭りのふるまい酒にあずかったらしく、頭まで赤くなっていた。

「これは珍しい。気比さん祭りが待ち人を呼び寄せたようですな」

日達は機嫌よく信春の肩を叩いた。

「お預かりした書状のことでは、大変ご迷惑をおかけいたしました。一刻も早くもどらなければと思っていたのですが」

「本法寺の日賢さんからおおよそのことは聞いております。さあどうぞ、中へ」

日達は何のわだかまりもなく本堂に案内した。

信春は本法寺にあてた書状を落としたことを改めてわびた。日達にまで迷惑をかけたのではないかと案じていたが、連絡を取ることができなかったのである。

「ここは朝倉さまのご領分ですので、信長の手が直接及ぶことはございません。ところが、今のうちに信長に取り入ろうとする輩がおりましてな」

京都奉行の密偵が、信春の行方を追って妙蓮寺にさぐりを入れてきた。すると妻子が寺にいると密告した者がいたという。

「それゆえここで預かることができなくなったのです」

「すると、どちらに」

「気比神宮の近くに妙顕寺《みょうけんじ》があります。ここは朝倉家ゆかりの由緒ある寺なので、不埒な輩が足を踏み入れることはできません」

日達は静子と久蔵の安全を考えて、この寺に預かってもらうことにしたのだった。

「このたびあるお方の力添えで、本法寺さまに妻子を住まわせることができるようになりました。これから引き取りに行きたいのですが」

長々と世話になったお礼は、どうしたらいいだろうかとたずねた。

「鬼子母神十羅刹女像の画料を、富山の妙伝寺さんからいただいております。重ねてのご芳志は無用です」

「では、妙顕寺さんの方には」

「それも案じることはありません。静子さんはたいした才覚の持ち主でしてな。寺のほうが助けられているくらいですよ」

源八に案内させるので、訪ねてみられるがよい。日達和尚はそう言って愉快そうに笑った。

「二人がどこにいるか知らないと、源八は先ほど申しましたが」

「それはあなたに教えたくなかったからでしょう。山で生きてきた者たちは、家族の絆を何より大切にしますから」

日達に直々に命じられ、源八はしぶしぶ案内役を引き受けた。

比叡山に行く時にはあれほど饒舌だったのに、まるで知らない者のようにおし黙っている。本当は側にいることさえ嫌なのだと、こり固まった背中が語っていた。

「嘘をついたのは、私を嫌いになったからか」

そうたずねたが返事はなかった。

「お前が止めるのを聞かずに東塔に向かったのは、家族を見捨ててもいいと思ったからではない。絵師になるためには、自分の目で真実を確かめることが一番大事なんだよ」

「女房や子供より大事なものが、この世にあるんですかい」

蔑みのこもった冷たい声だった。

「それは……」

信春は内心たじろぎ、それとこれとは別だと言った。

「別なもんか。わしらの仲間にそんな奴がいたら、たちまち八分《はちぶ》にされてしまう。女房や子供を守ることは、そんなに生やさしいもんじゃありませんぜ」

だから二度と声をかけるなと突き放され、信春は一言もなかった。

確かにあの時、妻子のもとに帰るより真実を見極めることを優先した。静子もそれを知ってさ

ぞ恨んでいるのではないかと、重い足取りで妙顕寺の門をくぐった。

境内は広々として、参道の両側にいくつもの塔頭が並んでいた。

妙顕寺は鎌倉時代からつづく古刹《こさつ》である。初めは真言宗《しんごん》だったが、南北朝時代にこの地をおとずれた日像《にちぞう》上人の教化を受けて日蓮宗に改めた。

それ以来、廻船業者や有力商人が帰依するようになり、朝倉家からも手厚い保護を受けて興隆をきわめた。

本堂に一番近い塔頭の一画に、静子が住んでいる僧坊があった。板屋根の平屋で、開け放った戸から中の様子が見えた。

静子は灰色の作務衣を着て、髪をひっつめて丸く結い上げている。見習い尼僧のような姿で、床に広げた紙に何かを描いていた。

側には久蔵が木筆を持って立ち、手伝うことはないかと身構えていた。

信春は敷居際に身をひそめ、しばらく様子をうかがった。

「山車の車は六つだったかしら」

静子が筆を動かしながらたずねた。

「そうだよ。これを見て」

久蔵は手本にしている山車の絵を静子に見せた。

「ありがとう。水引幕の上の武者を描くのが難しいわね」

「竿立ちになった馬が、山車から飛び出そうとしているよ」

「これは源義経公よ。ひよどり越えの坂落としの場面かしらね」

「ひよどり越えって何？」

久蔵は一年の間に見ちがえるほど成長し、静子とこんな会話ができるようになっていた。

「そうね。お前にはまだ難しい話だわね」

「父上がおられたら良かったね。こんな絵なんか、あっという間に描いて下さるよ」

久蔵は妙に力んで木筆をふり回した。

自分では用が足りないと言われたことが残念で、父上ならと言ったのだろう。その健気さが哀れで、信春の喉元に熱いものがこみ上げてきた。

今すぐ二人の前に出て、帰ってきたぞと知らせてやりたい。だが一年ももどらなかったことが申し訳なくて、合わす顔がないのだった。

「そうね。お父上がいてくださったら、もっとたくさん描けるのにね」

「どうして帰ってこないの」

「都に絵の修行に行ってらっしゃるからよ」

「都って、どんなところ」

「天子さまがお住まいになっているところよ。偉いお坊さんや立派な絵師が日本中から集まって、一生懸命に修行にはげんでおられるの」

「へえ、じゃあ父上も大変だね」

「どうして」

「だって立派な人ばかりじゃ、みんなと比べられるだろう。大変だよ」

「久蔵も比べられるのが嫌なの」

「嫌だけど、母《かか》さまのお仕事だもの。仕方がないよ」

久蔵は聞き分けのいいことを言ったが、信春には何のことか分らない。そのことからも長い不在を痛感し、いっそう入りにくくなった。

「悪いわね。そこにある竹の尺を取ってくれない」

静子は尺を当てて山車の直線を引こうとしている。久蔵はそれを察して小走りに取りに行ったが、床においた道具箱につまずいてばったりと倒れた。

「あっ」

信春は思わず声を上げ、部屋に上がって抱き起こした。

「大丈夫か。怪我はないか」

そう言って膝をさすると、久蔵はおびえたように立ちすくんだ。

「私だ。父上だよ。忘れたのか」

僧形にしているせいか、それでも久蔵は分らない。泣くまいと顔をゆがめて耐えていたが、急に踵を返して静子の後ろに逃げていった。

「どうやら覚えていないようだ」

信春は照れと失望をかくそうと薄く笑った。

「そのお姿のせいですよ。これをかぶってみたらどうですか」

静子がさし出した手ぬぐいをかぶると、久蔵はようやく納得したらしい。それでも静子の背中にかくれたまま、出て来ようとしなかった。

「長い間すまなかった。こんなことになるとは、思ってもいなかったのだ」

信春は比叡山の焼討ちに巻き込まれ、京都奉行に追われて身をひそめていたいきさつを語った。

「ご様子は妙蓮寺の和尚さまから聞いておりました。ご無事で何よりでございます」

「日堯さまのご尊像を描かせていただいた。そのことも聞いてくれたか」

「うかがいました。大変な評判だったそうでございますね」

「まるで生きておられるようだと、ご葬儀に参列された方々がご尊像の前から動こうとなされなかった。日堯さまもこれで迷いなく成仏できると言って下されたほどだ」

無駄に過ごしていたわけではないと、信春は力み返って成果を強調した。

「しかも絵の評判がきっかけになって、思いがけない人からお声がかかった。いったいどなただと思う」

「さあ、どなたかしら」

静子は上手に話を合わせ、久蔵を膝に抱いて信春に向き合わせた。

「畠山家の夕姫さまだ。夕姫さまのお招きで大徳寺に行き、牧谿の観音猿鶴図を拝見させていただいた。養父上《ちち》が一度は見たいと念願しておられたあの絵を、私はこの目で見てきたのだ」

「それは良うございました。やはり出来がちがいますか」

「それはなあ、静子。何と言ったらいいか……」

信春は感極まって涙を流した。あの絵を思い出すだけで体が震える。この感動と驚きは、とても言葉では伝えられなかった。

「私はあの絵を見て、絵師をめざして本当に良かったと思った。比叡山では地獄を見たが、それをくぐり抜けたお陰で天上の宝物と出会うことができた。きっと神仏のお導きにちがいないと、今では感謝しているほどだ」

「そうですか。どんな絵なのか、いつか模写したものを見せて下さいね」

「見せるとも。久蔵にも見せてやるから、楽しみにしていろよ」

信春は長い腕を伸ばして久蔵を抱き取った。

久蔵もようやく納得して身をゆだね、

「ねえ、タカタカボンボして」

信春を見上げておねだりをした。

「いいぞ。してやるとも」

信春は勇んで応じたが、僧坊の天井は低い。立てば久蔵の頭がつかえるので、座ったまま肩車をした。

「わぁ、父上だ」

久蔵は信春の頭を両手で抱きしめ、馬に乗ったように体をゆすった。

その手の柔らかさとずしりと伝わる体の重みが、信春の胸にしみた。

「ずいぶん大きくなったな。もう立派なお兄ちゃんだ」

「そうだよ。長五郎にだって負けないもの」

「誰だ。その長五郎というのは」

「ここに手習いに来ている子だよ。ねえ、母さま」

「そうです。ここに住まわせていただくかわりに、子供たちを集めて読み書きと算盤を教えています」

静子は商家の生まれなので、読み書き算盤はひと通り身につけている。そこで檀家の子供たちに教えはじめたところ、大変な評判になった。

今では檀家以外の者も子供を通わせたいと頼みに来るので、断わるのに往生しているという。

「なるほど。お前なら似合いだよ。しっかり者だし優しいし」

「嫌ですよ。からかったりして」

静子は怒ったような顔をして山車の絵を描きはじめた。

「それは教える時に使うのか」

「ええ、これに文字を書いて覚えてもらうのです。ちょうど祭りの時期ですから」

「父上も手伝ってくれる。山車の上の武者を描くのが難しいって、話していたところなんだ」

「よし。それでは久蔵も手伝ってくれ」

信春は尺も使わずに真っ直ぐな線を引き、山車のおおよその姿を手早く描き上げた。次に屋台に乗った騎馬武者を描き、背後に松の木と二本の旗竿を描き加える。

なんだか七尾でキリコの絵を描いていた頃のようで、心が浮き立ってきた。

「父上、凄いね」

久蔵が目を輝かせて信春の筆さばきを見つめていた。

「見ていないでお前も手伝え。松は描けるか」

「描けるよ。母さまと松原に行って稽古したもの」

「じゃあ、この枝に葉をつけてみろ」

信春はそうさせようと、わざと松の枝だけ描いたのだった。

夕方には久々に三人で食事をした。

敦賀は海の幸、山の幸に恵まれた所である。祭りの間は寺内でも魚を食べることが許されていて、鯛のあんかけや蛸の酢の物などが並んでいた。

中でも珍しいのは鯖《さば》の祇園寿司だった。

京都では祇園祭の日に鯖の押し寿司を食べる。気比神宮の山車の巡行は祇園祭に倣ったもので、祭りの日に鯖寿司を食べる習慣も一緒に伝わったのである。

「豪勢な祭りごっつぉだな」

思わず方言が口をついた。

七尾でも夏祭りの日にでか山車が巡行し、祭礼の料理が振舞われる。これを地元では祭り御馳走《ごっつお》と呼ぶのである。

「みんな子供たちの家からいただきました。祭りの日には、それぞれのお家で祇園寿司をこしらえるそうです」

「この酒もか」

「これは妙蓮寺の和尚さまの差し入れです。長い間、ご苦労さまでした」

静子が素焼きの湯呑みに酒をついだ。能登でなじんだ珠洲《すず》焼きだった。

久蔵は祇園寿司を腹一杯食べ、いつの間にか寝入っていた。いつもは自分で寝床に行くが、今日は信春の側から離れたくなかったのである。

「一年の間に、ずいぶん大きくなるものだな」

信春は久蔵の手をそっと握った。

「いつもたくさんの子が来ていますから、落ち着かないと思います。それでも頑張って、みんなと仲良くしてくれています」

「そうか。その子たちと比べられるわけだな」

「読み書きも算盤も一緒に教えています。時には喧嘩をすることもありますから」

「それで鍛えられて、こんなにしっかりしてきたのか」

二人だけでさぞ大変だったろうと、信春はしんみりした気持になった。

三人で京都の本法寺に住めるようになったと伝えるために帰ってきたのに、なぜだか言い出せなくなっていた。

「どうしました。何か気がかりなことでもあるのですか」

「うむ、さっき源八にな」

女房や子供を大事にしない奴とは口をききたくない。そう言って突き放されたと、信春は肩を

落とした。

「源八さんとあなたはちがいます。それに一緒にいることだけが幸せとは限りませんよ」

「そう言ってくれるのは有難いが、比叡山でのことは聞いただろう」

「源八さんからうかがいました。恐ろしい目にあわれたそうですね」

「あの時源八と一緒に逃げていれば、お前たちをこんな目にあわせることはなかったのだ」

だが、いつもの癖で危ない方に駆け出していた。物事の本質を見極めたいという思いに衝き動かされ、静子や久蔵を二の次にしたのである。

「それは絵師の性《さが》というものではありませんか」

「そうだろうな。きっとそうにちがいあるまい」

「それなら亡き父のせいですよ。だってあれほど厳しく仕付けていたんですから」

静子は信春が長谷川家に養子に入った頃のことを懐かしそうに語った。

まだ十一歳だったが、宗清は他の弟子たち以上に信春に厳しく接し、絵のイロハから叩き込んだ。毎朝夜明け前に起きて画材をそろえ、夜は一番最後まで残って後片付けをさせた。

「覚えてますか。真冬に氷柱《つらら》を持って外に立たされておられたことを」

「覚えているとも。あの頃は筆の握り方が悪くてな。握らず離さず。そのコツを氷柱で会得するように言われたのだ」

「あなたは一時《いっとき》ちかくも表に立ったまま、宙に向かって何かを描いておられました。わたくしは物陰からそれをながめながら、申し訳なくて泣いていたのですよ」

静子は泣き笑いの顔をして酒を勧めた。

その日のことは信春もはっきりと覚えている。体が凍りつくような寒さに耐え、負けてたまるかと呪文のようにとなえながら、氷柱の筆をふるいつづけたのだった。

「だからあなたが絵のことを一番に考えるのは当たり前なのです。源八さんのような生き方も立派でしょうが、選ばれた者にはそれが許されないのですよ」

「選ばれた者?」

「あなたは生まれた時から、人並みはずれた絵の才能をさずかっておられます。だから普通の人のように生きることができないのです」

そう仕向けたのは父なのだから、自分もその辛さを一緒に引き受けさせてもらいたい。そうすることが生き甲斐だと、静子は迷いなく言いきった。

「実はな。さっき夕姫さまからお声がかかったと言っただろう」

「ええ。大徳寺の絵を拝見させていただいたと」

「ご用はそればかりではなかったのだ」

信春は石山本願寺に連れていかれて近衛前久と会い、教如の肖像画を描くように頼まれたいきさつを語った。

「教如さまといえば、ご門主のご嫡男ではございませんか」

「知っているのか」

「このたび朝倉さまの姫君が教如さまに嫁がれることになったと、この寺のご住職からうかがい

ました」

花嫁の一行は三国湊から丹後の由良港へ、信春がたどってきたのと逆の航路をたどって大坂へ向かう。

敦賀からも二十艘の祝い船を出して由良まで同行するように通達があった。その船をどうやって調達するか、朝倉家の代官と廻船業者たちが話し合っているが、なかなか折り合いがつかないという。

「加賀と越前の一向一揆の方々は、三百艘もの船を出されるそうでございます」

「朝倉家と本願寺が同盟したことを知らしめるための輿入《こしい》れだからな。盛大な花嫁行列をして、勢いが盛んなところを見せつけたいのだろう」

「これで信長に負けることはないと、敦賀の皆さんは大変喜んでおられます。それで今年のお祭りは盛大になされるそうです」

「その縁組みをととのえられたのは、前の関白近衛前久公だ。三条西家や三条家の本家筋に当たられる。あの夕姫さまが、ご家門さまと呼んで召使のように仕えておられた」

信春はいささか得意になって、前久がどれほど高貴な家柄の生まれで、これまでどんな働きをしてきたかを語った。

「何しろ越後の上杉や甲斐の武田を家来のように自在に動かされるのだ。朝倉家と本願寺を結びつけられたのも、信長を亡ぼすためだそうだ」

「そんなことまで、どうしてご存知なのですか」

「前久さまから直に絵を描いてくれと頼まれたからだ。打ち込み稽古の相手もしたし、手ずから盃まで頂いた」

七尾や敦賀にいては想像もできない体験である。信春が熱弁をふるいたくなるのは無理もなかった。

「それで教如さまの絵は、どうなったのですか」

静子は聞き上手で、頃合いを見て酒までついでくれた。

「何しろまだ十五歳だからな。どう描けばいいのかずいぶん迷ったよ。ちょうどその時、信長の軍勢が本願寺に夜討ちをかけた。いや、あれは明け方だから、朝駆けというべきだな」

信春は自分の話に興奮して、珠洲焼きの湯呑みの酒をひと息にあおった。

こうなると、いささか危い。だがこうして無事に家族に再会し、静子に手柄話を聞いてもらえる嬉しさに、自制も限度も忘れていた。

「何百挺もの鉄砲を撃ちかけ、何千人もの軍勢が鬨《とき》の声を上げて攻めかかってくる。そりゃあ恐ろしいぞ、静子。まして私は比叡山の焼討ちを体験しているから、骨の髄まで震え上がったものだ。ところがその時、教如さまはこんな恐ろしさに毎日さらされておられるのだと思い当たった。するとおだやかな表情の奥にあるお心が、はっきりと見えてきたのだ」

「そうですか。人を描くのも御仏を描くのも、基本は同じなのですね」

「そうだよ。さすがはお師匠さまだ」

信春は湯呑みをさし出して酒をついでもらった。この先、言い出しにくいことが控えている。

その山を越えるのに、もう少し酒の力を借りたかった。

「絵は上出来でな。前久さまは朝倉にやるのが惜しいとおおせられた。この絵は、教如さまのお人柄を輿入れする姫君に伝えるためのものだ。ところがあまりに出来がいいので、やるのが惜しいとさ。何とも正直なお方ではないか」

「その絵はどうなったのですか」

「越前一乗谷にとどけられた。今頃は姫君さまがご覧になっているだろう。それより静子。本願寺で狩野松栄さまにお目にかかってな。教如さまの絵を見ていただいたのだ」

「まあ、永徳さまのお父上に」

「ずいぶんとお心の広い方でな。これほどの絵を描ける者は、狩野派の高弟の中にもおらぬとおおせられた。あなたの絵には真心があると……」

信春はその時のことを思い出し、感極まって声を詰まらせた。

「真心があるとおおせられて、弟子入りまで許して下された」

「それは良うございましたね。すると永徳さまと一緒に絵を描ける日が来るかもしれませんね」

「ところが永徳は」

信春は勢いあまって呼び捨てにした。

「信長の屋敷に出入りしているそうだ。西洋の知恵や技法を学ぶためだというが、はたしてうまくいくかどうか」

ふいに酔いが回り、体がぐらりと傾いた。自分でも気付いていなかったが、絵の制作と長旅の

疲れがたまっていたのである。

信春はじっと湯飲みを見つめ、挑みかかるように飲み干した。

「実はな、静子。今度戻ってきたのは、お前たちを都へ連れて行きたいからなんだ。前久さまのお力添えのお陰で、本法寺さまに三人で住まわせていただけることになった」

「そうですか。きっとそうだろうと思っていましたが」

たずねることが出来なくて遠慮していたのだと、静子がほっとした顔をした。

「一緒に来てくれるのか」

「もちろんです。それを信じてこうして待っていたのですから」

「でも、こちらの仕事はいいのか」

「どなたかに代わりを頼みます。心当たりもありますから」

「なんだ。それならもっと早く言えば良かった」

「もしかして、あなたも遠慮なさっていたのですか」

「一月で戻ると言っておきながら、一年も待たせたからな。さぞ怒っているだろうと、生きた心地もしなかった。それに都に行けば辛いことも多い。ここで暮らしていたほうが、二人にとって幸せではないかと思ったりもしたのだ」

「わたくしと久蔵は、あなたの側にいるのが一番幸せなのですよ。ただし、ひとつだけお願いがあります」

子供たちと山車の巡行を見に行くと約束しているので、敦賀を出るのは祭りが終ってからにし

てもらいたい。静子は師匠の顔になってそう言った。

祭礼は八月三日から始まった。

三日には御輿と小山車《こやま》が出て、町衆が三味線や太鼓、手踊りをしながら練り歩く。四日にはこれに大山車が加わり、祭りは最高潮に盛り上がる。

小山車は廻船業者や町の商家が私財をなげうって出すことが多いが、大山車は敦賀十二町のうち東西六町が、毎年交代で六基ずつ出す。

それぞれの町から出た大山車は唐仁橋《とうじんばし》町の大通りに勢揃いし、気比神宮の表参道にあたる御影堂前町の通りに向かって巡行する。それを迎えるために、通りに面した家の門口に二灯の提灯をかかげていった。

この日の辰の刻、午前八時に静子の教え子十八人が僧坊に集まった。

五歳から十歳くらいの子供たちで、兄弟、姉妹も多い。皆が祭りの白い法被を着て、赤い手ぬぐいを頭にかぶっていた。

「いいですか、皆さん。二列になって手をつないで、わたくしの後についてきて下さい」

静子も赤い手ぬぐいをかぶっている。これは祭りの雑踏の中で互いを見失わないようにするためだった。

「父上も、かぶってよ」

久蔵が赤い手ぬぐいを押し付けた。

「よし、それなら二人で目印になるぞ」

信春は久蔵を抱え上げて肩車した。

これならどこからでも見えると思ったが、

「駄目ですよ。みんな歩かなければ」

規律を乱しては困ると、静子が厳しくたしなめた。

町のあちこちから笛や太鼓、鉦《かね》をまじえた祭り囃子が聞こえてくる。道の両側には祭礼と大書した提灯が整然と並んでいた。

子供たちは静子に従って唐仁橋町の大通りに出て、期待に胸を躍らせながら大山車がやって来るのを待ち受けた。

みんな行儀がよくて気配りが出来る。人を押しのけて前に出ようとする子は一人もいない。そのことからも静子の教師としての力量の確かさがうかがえた。

やがて祭り囃子の音がひときわ大きくなり、東浜町の辻を回って大山車があらわれた。

人形を飾る舞台座までの高さは三丈（約九メートル）。その上に松の巨木と旗竿を立てているので、雲衝《つ》くほどの大きさだった。

山車の幅は二丈ちかい。これを三両の巨大な車輪で支えている。山車の後ろには轅《ながえ》をつけ、方向転換ができるようにしていた。

舞台座には騎馬武者の人形を飾り、高欄の下に唐獅子と牡丹をあしらった水引幕をたらしている。

行列の先頭を麻裃をつけた町の肝《きも》入り二十人が歩き、法被を着た百人ばかりの曳《ひ》き子が二列になって山車を引く。

山車の前板に立った音頭取りが、

「エンヤサーエ」

よく通る甲高い声を上げると、曳き子たちが、

「オイスクデ」

と応じながら進んでくる。

唐仁橋町の後ろから浜嶋寺町、御所辻子町の大山車が次々と現れ、大通りに勢揃いした。

「なんだか、七尾の夏祭りを思い出しますね」

静子が目頭に手を当てて涙をぬぐった。

七尾でも毎年五月に青柏祭《せいはくさい》がおこなわれ、似たような山車が巡行する。

夏の到来を告げる忘れ難い祭りだが、所払いをされた者には二度とあの祝祭の場に身をおくことはできないのだった。

「案じるな。いつか必ず七尾に戻れるようにしてやる」

信春は愛おしさのあまり静子の肩を抱き寄せたくなったが、子供たちの手前をはばかって背中を軽く叩いただけだった。

やがて勢揃いした六基の大山車が南に向かって進み、西方寺の前の三叉路で迂回しをして、御影堂前町の通りを気比神宮に向かって進んでいった。

その姿は雄壮で、敦賀の財政的な豊かさを表していた。その富の源泉は日本海の海運から上がる利益、中でも明国との貿易である。唐仁橋町の地名も、渡来した明国人にちなんだものだった。

御影堂前町の通りには、町の要人や朝倉家の重臣たちを招待するための桟敷がもうけてある。

大山車の後をついて通りまで出た信春は、桟敷の上段にいるずんぐりとした武士に目を引かれた。

（あれは、まさか……）

あまりのことに棒立ちになったが、見間違えるはずもない。兄の武之丞である。

小姓を従えた恰幅のいい武士の隣に席を占め、酒をくみ交わしながら親しげに話している。

信春は驚きに息を呑み、あわてて物陰に隠れようとした。

「どうかなされましたか」

「さ、桟敷を見ろ」

「あれは天筒山城主の朝倉土佐守さまですが」

「その隣に兄がいる。見つかったら大事《おおごと》だ」

何も逃げ隠れする筋合いはない。むしろ七尾での不実を問い詰め、何があったかを白状させなければならない立場である。

ところが武之丞だけはどうにも苦手で、金輪際関わり合いたくないのだった。

「では、これをお使い下さい」

静子が日除け用の菅笠を差し出したが、時すでに遅かった。

武之丞は信春に気付き、配下の武士三人をつかわしたのである。

「長谷川信春さまとお見受けいたしました。奥村兵部大輔《ひょうぶのたいふ》さまが桟敷におこしいただきたいとおおせでございます」

武之丞は朝倉家に仕官し、兵部大輔といういかめしい名乗りを許されていた。

「ご覧のように子供たちを連れております。せっかくのお招きですが、お断わりいたします」

「それでは我々が叱られます。ご祭礼に免じて、どうぞ桟敷に」

「後程うかがいます。どちらに行けばいいか、教えていただきたい」

信春は脇の下にべっとりと汗をかきながら、その場しのぎを言った。

押し問答をしているうちに、武之丞がしびれを切らしてやって来た。

「又四郎、久しいの」

相変わらず家来か召使に対するように横柄である。黒々とひげをたくわえ、偉ぶった態度が妙に板についていた。

「ご無沙汰いたしております」

信春は仕方なく頭を下げた。

「どうしていたかと案じていたが、都でたいそうな働きをしてくれたそうだな」

「何のことでしょうか」

「教如さまのご尊像よ。近衛前久公から直々に頼まれ、お前が描いたそうではないか」

「ええ、まあ」

「あのご尊像を見て、義景さまのご息女は喜んでお輿入れを承諾なされたそうじゃ。それまでは嫌がって泣き暮らしていたと、このわしまで義景さまからお誉めの言葉をいただいた」

この機会に土佐守さまに引き合わせたいので桟敷に上がれと、武之丞は強引に腕をつかんだ。

「お離しくだされ」

信春は武之丞の手を力任せにふり払った。

「私はあなたを許したわけではない。こんなことをされては迷惑です」

「許さぬだと」

武之丞は鋭い目でにらみ据え、それが兄に対する態度かと言った。

「昨年の四月七日、花祭りの夜のことを忘れたわけではありますまい」

「ああ、そのことか」

武之丞は他人事《ひとごと》のような言い方をして、信春を桟敷の裏の人目につかぬ所へ連れていった。

「あの時は約束通り本延寺へ行こうとした。ところが七人衆の監視が厳しくなり、七尾のご城下に入ることさえできなかった。そこでやむなく、修理大夫さまの起請文を自分で朝倉家にとどけたのだ」

「それができたのなら、なぜ私に使いに行けとおおせられたのですか。七人衆の目を引きつけるために、囮《おとり》にしたのではないですか」

「ちがう。そんな疑いをかけられるとは心外だ」

「あの夜七人衆の手の者が長谷川家に押し入り、養父母が自害しました。あなたの計略に従った

ばかりに、取り返しのつかないことになったのです」

「それは聞いた。気の毒なことだったたと思っている」

「気の毒ですって」

信春は怒りに喉を詰まらせた。

「そんな……、そんな一言ですむと思っているのですか」

「お前の怒りはもっともだ。辛い思いをしたこともよく分る。だが、畠山家を再興するためにはやむを得なかったのだ。主君より弟を大切にするわけにはいくまい」

目の前を唐仁橋町の大山車が通りすぎ、浜嶋寺町と御所辻子町の大山車が桟敷の前にさしかかった。

「エンヤサーエ」

「オイスクデ」

矢つぎ早の掛け合いと華やかな祭り囃子に、二人の声はかき消されそうだった。

「それで私を囮にされたわけですか」

「そんなことは断じてない。だが信じてくれないのなら、どう思ってくれても結構だ」

武之丞は目上の優位を笠にきて平然と開き直った。

「それなら、私に関わるのは金輪際やめていただきたい。土佐守どのに会うのもご免こうむる」

「兄弟の縁を切ると申すのか」

「私は長谷川家に養子に行った身です。その時から奥村家とは縁が切れたと思っています」

「お前は絵に打ち込むあまり、父上のことまで忘れたようだな」

武之丞は蔑みの混じったため息をもらした。

二人の父親である奥村文之丞は、畠山義続、義綱父子が七人衆に追われて七尾城から脱出した時、身を挺して主君を守った。

その志を継ぐのが、五体を父母に受けた者の務めだというのである。

「それゆえわしは、畠山家を再興するために身を捨てておる。そのためなら何でもするし、どんな批判も甘んじて受ける」

「朝倉家に仕えておられるのも、そのためですか」

「そうだ。今はご扶持《ふち》五百石、兵三百を与えられて天筒山城の守りについている。兵の半分は畠山家の旧臣で、頂戴した扶持はその者たちを食べさせるためのものだ」

朝倉家のために働けば、畠山父子が七尾城に復帰できるように尽力すると義景は約束した。武之丞はそれを信じ、最前線の守備を志願したのだった。

「その甲斐あって、ようやくここまでこぎつけた。朝倉家と本願寺、武田と上杉が同盟して信長に当たれば、決して負けることはない」

「もしや、夕姫さまと今も連絡をとっておられるのではありませんか」

夕姫は武之丞と申し合わせて、自分を近衛前久に推挙したのではないか。本願寺で前久と会った時、推挙したことを隠そうとしたのはそのためにちがいない。

信春はそう思い込み、失望に打ちのめされそうになった。

「連絡など取れるはずがあるまい。夕姫さまが、どうかなされたのか」

「……」

「答えよ、又四郎。夕姫さまに何があったのだ」

誰が答えるものかと思いながらも、

「夕姫さまが、私を前久公に推挙されたのです」

信春は兄の威に押されて白状した。

「有難い。我々は三人とも、畠山家の再興を目指す志でしっかりとつながっておるではないか」

武之丞は感極まって目頭を押さえた。

「お前が教如さまのご尊像を描いたと聞いた時は嬉しかったが、この知らせは格別だ」

「私は絵師としてこの仕事を引き受けたばかりです。畠山家のことは関係ありません」

「頭ではそう考えているかもしれぬが、体に流れる奥村家の血はあざむけぬ。主家のためという思いがあるからこそ、非の打ちどころがないご尊像を描ききることができたのだ」

武之丞は手で顔をおおい、声を押し殺して泣き始めた。それを見られまいと、桟敷の柱の根元にうずくまって嗚咽をもらした。

兄が泣くところを見たのは初めてである。強気一点張りだと思っていた兄の弱々しい姿を見ると、信春は胸を衝かれて何も言えなくなった。

「分りました。御意のままにいたしますゆえ」

泣くのはやめてくれと手をさし伸べた。

「さようか。土佐守さまに会ってくれるか」

「挨拶だけ、させていただきます」

「それで良い。お前の絵がどれほど高く評価されているか、そのお陰でわしがどんなに鼻が高いか、よく分るはずだ」

朝倉土佐守景綱は、前の敦賀郡司である景恒《かげつね》の弟だった。

二年前に信長が敦賀に攻め込んできた時、景恒は天筒山城と金ケ崎城に立てこもって防戦したが、十万余の大軍に抗しきれずに降伏した。

その直後に北近江の浅井長政が反信長の兵を挙げたために、信長軍ははさみ撃ちされることを避けて退却し、捕虜となっていた景恒は朝倉家に引き渡された。

ところが義景は景恒の降伏を卑怯と見なし、家中から追放した。そして弟の景綱を天筒山城主にしたのである。

「よくお出で下された。貴殿のことは奥村どのから聞いております」

年若い景綱は信春を隣に座らせ、都の様子をつぶさにたずねた。

数日後には都に戻るつもりだと言うと、路銀の足しにと小粒の入った革袋まで差し出した。

越前朝倉家が信長に攻められて滅亡する、ちょうど一年前のことだった。

信春が静子と久蔵をつれて都に着いたのは、元亀三年（一五七二）十二月下旬のことだった。

八月中頃に敦賀を出て丹後の由良についたものの、丹波方面への信長軍の攻勢が強まり、自由

に往来ができなくなっていた。

ようやく丹波に入ることができたのは、この年十一月に甲斐の武田信玄が三万の軍勢をひきいて遠江《とおとうみ》、美濃への侵攻を開始したからである。

信長はこれに対応するために、丹波に侵攻させていた軍勢を美濃に呼び戻した。

その隙をついて、黒井城の赤井直正を中心とする反信長勢は一挙に劣勢を挽回した。

そこでようやく丹波から周山街道を通って京都に入ることができたのだった。

真冬のこととて雪が降りしきり、野も山も白くおおわれていた。

その中を妻子をつれて歩き通し、やっとの思いで洛中の本法寺にたどり着いた。

本法寺は一条戻り橋の近くにあった。

一条堀川西入ル、現在の晴明《せいめい》神社が建つあたりである。

北西の鬼門から都に入った妖怪たちも、帝の威光を怖れてこの橋の手前で引き返した。そうした伝承から戻り橋の名がついたという。

寺に着くと執行の日賢が頭を低くして迎えた。

「雪の中を大儀でございましたろう。どうぞ、お入り下さい」

自ら教行院に案内し、今日から三人で自由に使ってくれという。身の回りの世話をさせるために、二人の小僧までつけていた。

「もったいないことでございます。我ら三人、寺の片隅に住まわせていただければ結構ですから」

「とんでもない。一《いち》の御人《おひと》のお申し付けですから、手落ちがあっては我々がお叱りを受けます」

「何ですか。一の御人というのは」

「関白さまのことですよ。ご存知ありませんか」

関白は天皇の第一番目の家臣で、位人臣《くらいじんしん》を極めた存在である。それゆえ都の者たちは、一の御人というへりくだった呼び方をするのだった。

つまりは前の関白近衛前久のことである。

前久は本法寺に後奈良天皇のご位牌を安置し、供養料として寺領五十石を寄進した。そうして信春一家の面倒を見るように申し付けたという。

「そればかりではございません。教如さまのご尊像の画料として、銀十五貫を預かっております」

銀十五貫はおよそ金三百両。現代の貨幣に換算すれば三千万円ちかい大金だった。

「そのように手厚いことをしていただけるとは、有難いことでございます」

信春はすっかり恐縮し、寺にいるのに有髪のままでいいだろうかとたずねた。

敦賀を出る時に髪を伸ばし始め、今や小さな髷がゆえるほどになっていた。

「どうぞ。ご自由になされて結構でございます」

「寺から出歩くことはできるのでしょうか」

「それもご自由になされて構いません。信長の軍勢は、今や都から逃げ出す仕度にかかっておりますから」

日賢は小気味良げに、織田と徳川の連合軍が三方ケ原《みかたがはら》の戦いで武田信玄に大敗したと言った。

十二月二十二日のことで、尾張の末寺から知らせが届いたばかりだという。

「武田勢はそのまま尾張に兵を進め、浅井、朝倉勢が美濃に攻め込んで信長をはさみ撃ちにすると、もっぱらの噂でございます」

「そうですか。それは良かった」

信春はほっと胸をなで下ろした。

前久から計略を聞かされたものの、あれほど恐ろしい信長軍に勝てるかどうか不安だったのである。

「あなたはその功労者です。新しい世の中になったなら、絵師の道も大きく開けますよ」

だから大きな顔をしてここにいてくれ。日賢はそう言って小僧二人に風呂の仕度を命じた。

三人だけで残された信春らは、しばらくぽかんとしていた。

教行院は部屋が八つもあり、客間だけで二十畳の広さがある。こんな大きな塔頭を自由に使えと言われても、どうしていいか分らなかった。

「何だか妙なお方ですね」

静子が日賢をそう評した。

「どうして」

「親切にしていただいているのに、ちっとも温か味が感じられないんですもの」

「比叡山の焼討ちから逃れてこの寺を頼った時、あの人からけんもほろろに追い出された。権力

の動きに鋭感でなければ、都では生きていけないのだろう」

「都の人々は本音と建前がちがうから用心しろと、日達和尚さまが教えて下さいました。皆さまとうまく付き合えるといいのですが」

「そのうち慣れる。そんなに心配することはない」

その日から本法寺での暮らしが始まったが、信春は仕事が手につかなかった。安心して絵に打ち込める環境がととのったのに、画帳を開く気にもなれなかった。

信長の手の者に追われながら日堯上人と教如の画像を描いた時には、危機感と必死の思いが絵に向き合う気持の張りとなっていた。ところが危機が去ると、その張りまで失われたのである。

所在なく数日を過ごすうちに、信春は外に出てみようと思った。

日賢はあんな風に言ったが、本当に安全なのか自分の目で確かめたい。大手を振って歩けるのなら、静子や久蔵を都見物につれて行ってやりたかった。

「ちょっと出かけてくる。夕方までには戻るから」

言い訳でもするように静子に断わり、一条通を東へ向かった。

通りの両側には上位の公家の屋敷が建ち並び、突き当たりには仙洞御所や近衛邸がある。かつては信長軍が辻ごとに立って警戒に当たっていた所だった。

信春は菅笠を目深にかぶり、托鉢僧のような装いをして様子をうかがった。通りには雪が残っているが、子供たちが遊び回っている。頭に籠をささげて川魚を売る桂女《かつらめ》や、米や薪を積んだ荷車も行き交っている。

軍兵の姿は一人もなく、皆が抑圧と恐怖から解放された生き生きとした表情をしていた。

雪に突きさした竹に、京童《きょうわらわ》が書いた落首がはさんである。信春はあたりに人の目が光っていないことを確かめてから、恐る恐るのぞいてみた。

弾正《だんじょう》の忠義終わりて身の破滅
　比叡のたたりげに恐ろしき

弾正忠《だんじょうのちゅう》信長の本領である尾張と美濃にかけて、比叡山の焼討ちを強烈に批判したものである。これがそのまま放置されていることが、政情が一変したことを表していた。

信春はほっと肩の力を抜き、大胆になって室町通を下ってみた。

近衛大路の南に、信長が足利義昭のためにきずいた二条御所がある。今年の七月頃から信長と義昭の関係が悪化し、信長軍が御所を包囲するように取り巻いていた。

ところが今はその姿も消え去せ、二引両《ふたつひきりょう》の胴丸をつけた足利家の兵が表門の警固に当たっているばかりだった。

信春は何喰わぬ顔で表門を通りすぎ、次の通りを西へ向かった。信長軍の脅威から解放された嬉しさに、飛びはねたい気分だった。

（私は勝った。第六天の魔王に勝ったのだ）

信春は菅笠をぬぎ、空をあおいだ。澄みきった青空が広がり、太陽が暖かい光を放っていた。

翌日から信春は天気のいい日を選び、静子と久蔵をつれて都見物に出かけることにした。真っ先に訪れたのは大徳寺である。

古渓宗陳がいれば、牧谿の観音猿鶴図を見せてもらえるかもしれない。そうすれば久蔵のためにもなると思ったが、あいにく古渓は外出中だった。

金閣寺や銀閣寺、八坂神社や北野天満宮。洛中の名所のほとんどは神社仏閣である。

庶民は立ち入ることができない寺社も多いが、本法寺の紹介状のおかげですんなりと入ることができた。

信春が教如の絵を描いたことは、洛中でも評判になっている。住職や宮司の中には公家たちから噂を聞いている者もいて、特別なもてなしを受けることも多かった。

行楽の日々はあっという間に過ぎ、元亀四年（一五七三）の正月を迎えた。

掃き清められて正月飾りをした寺社を見物するのも一興だと、

「今日は天竜寺まで足を伸ばし、嵐山の雪景色でもながめるか」

信春はそう誘ったが、静子は気乗りがしないようだった。

「どうした。体の具合でも悪いのか」

「いいえ。それより日堯さまのご尊像を拝見させていただきとうございます」

「何だ。そんなことか」

信春は小僧を呼び、日賢に頼んで宝物殿からご尊像を持ってくるように申し付けた。

本法寺に来る前から見せてやると話していたが、物見遊山にかまけて後回しにしていたのだっ

た。

軸装された日堯上人の尊像を掛けると、生きている本人を眼前にする思いがした。幽魂を折伏している気迫といい、病み衰えた顔立ちといい、死を目前にした上人の姿そのままである。

久々に目にした自分の作品に、信春は打ちのめされるほどの衝撃を受けた。

「これは末那識にとらわれている人間の姿です」

淋しそうにつぶやいた日堯の声が、耳底によみがえった。あなたも同じ執着にとらわれているという教えもまざまざと思い出した。

まさにその通りである。

これしきの成功に有頂天になるとは、何と浅墓《あさはか》な了見か。生涯精進をつづけると誓っておきながら、画帳を開く気にもならないとは何と弱い志であることか……。

側では静子が尊像に向かって手を合わせ、涙を流していた。絵を見ただけで、日堯上人がどれほど多くのものを信春にさずけてくれたか分ったのである。

「父上、凄いね」

久蔵は正座をしたまま喰い入るように絵を見つめ、小刻みに体を震わせていた。

「そうか。凄いか」

信春はわざと問い直してみた。

「凄いよ。人はこの世だけで生きているんじゃないんだね」

数え歳六つにしてそこまで感じ取っている。我が子ながら驚くべき才能だった。

かせた。

「そうだな。人の魂は如来と同じだ。永遠の時間と無限の空間につながっている」

それを写し取れるようにならなければ、本物の絵師ではない。信春は久蔵と自分にそう言いき

仕事始めの一月七日、日賢が一人の僧をつれてきた。

都で新たな修行に打ち込もうと、頭を青々と刈り込んでいた。

「これは日通《にっつう》と申します。堺の妙国寺《みょうこくじ》さんのご依頼で預かることになりました」

堺の豪商油屋常金の子で、日堯上人の甥にあたる。歳は二十三だという。信春とひと回りしか
ちがわないが、童顔のせいかずいぶん若く見えた。

「やがてはこの寺の住職となってもらう逸材ですが、修行の時は分けへだてをいたしません。し
ばらくは長谷川さまのお付きとして働いてもらいます」

「日通と申します。ご指導のほど、よろしくお願い申し上げます」

明るい瞳の輝きが、聡明なことをうかがわせる。目のあたりが日堯とよく似ているが、頬が丸
くふくらんだおだやかな顔立ちをしていた。

「信春といいます。これが妻の静子と息子の久蔵です」

日通を一目見た時から、信春は不思議な縁《えにし》を感じた。

「叔父の葬儀の時、ご尊像を拝見いたしました。絵のことについても教えていただければ有難い
です」

「絵がお好きですか」

「お茶室の軸を見ている程度です。まだ何も分りません」

「油屋さんは、名画をたくさん持っておられるのでしょうね」

「絵の良し悪しは分りませんが、祖父の代から集めたものが五十点ばかりあります」

「そうですか。一度拝見したいものだ」

「ぜひお出で下さい。お三人で堺見物に来られるといいと思います」

南蛮渡来の珍しいものがたくさんある。みんなで南蛮船を見物に行くこともできると、日通は静子や久蔵にまで気をつかった。

翌日から信春は襖絵に取り組むことにした。

絵師として独り立ちするためには、大寺院や城の御殿に何百枚という襖絵を描く力量を身につけなければならない。金にも時間にも余裕がある今のうちに、その稽古をしておこうと思った。

手本は狩野派が描いていた石山本願寺の客殿の襖絵だった。

こうした絵を描く場合には、まず施主に図案を示すために「伺《うかが》い下絵」というものを作る。御殿のどの部分にどんな絵をはめ込むかを詳細に記したものだ。

信春は狩野松栄の好意のおかげで、伺い下絵を写させてもらった。何百枚もの襖絵の図案を、一月がかりで写し取ったのである。

これを元にして、教行院の襖絵を描くことにした。むろん報酬はない。画材もすべて自分で買う。だから襖絵を描かせてくれと日賢に頼むと、

「それは願ってもないことです。洛中で評判になるように腕をふるって下され」

しっかり者の執行は二つ返事で承諾した。

部屋は八つ。ふすまの数は二百枚ちかい。建物の中心は御仏を安置した仏間で、書院や礼の間、檀那《だんな》の間がまわりに配されている。

部屋にはそれぞれ格式があり、絵もそれに従って描き分けなければならない。しかもそれぞれの部屋の絵が調和し、全体でひとつの世界観を表現するのだから、図案を決めるのは難しい。

絵は平面の仕事だが、襖絵は空間を演出する三次元の力業だった。

信春は数日の間考え込んだが、いい知恵が浮かばなかった。初めてのことで、何を基準にどう展開すればいいか見当もつかなかった。

こんな時は手本を模写して骨法《こつぽう》を学ぶのが絵師のやり方である。信春は石山本願寺で写させてもらった伺い下絵の中から、教行院の間取りに近いものを選び出した。

方丈の襖絵で、仏間の室中に山水花鳥図、檀那の間に琴棋《きんき》書画図、礼の間に瀟湘《しようしよう》八景図が配されている。

琴棋書画図は琴や囲碁、読書に興じる中国の賢人たちの姿を描いたもの。瀟湘八景図は瀟水と湘水が合流する洞庭湖《どうていこ》の名所八景を描いたものである。

中心は室中の山水花鳥図で、これは狩野家初代正信の絵が基本となっている。

部屋の東側四面に梅に小禽《しようきん》、仏壇前の北側八面に雪山と雪解け水、松に鶴、そして西側四面に落雁《らくがん》や穂を出す葦《あし》。東から春夏秋冬の移り変わりを表現したものである。

信春はこの絵に取り組むにあたって、三分の一に縮小した下絵を描いてみることにした。十六面あるふすまの縮小版を作り、自分なりの構成をして精密な下絵を描くのである。

東側には梅の老木が岩に根を張り、可憐な花をつけた姿を描く。大きな幹は荒々しく折れ曲がって歳月に耐えた強さを表し、花はいかにも瑞々しく描いて春のおとずれを寿《ことほ》ぐ。

幹には鶯《うぐいす》のつがいが身を寄せ合って羽根を休め、根元にはすみれやタンポポが花をつけている。長く枝を伸ばした梅の下を水量豊かな小川が流れ、雛《ひな》を間にして水鳥のつがいが泳いでいる。

目を北側に転じれば、その流れが雪山から流れ出た雪解け水だということが分る。生きとし生けるものが、雪山の豊かな恵みに支えられているのである。

水墨画の技法は、狩野永徳の二十四孝図屏風を模写した時に学んでいる。しかも今度は自由に画面の構成を決められるので、面白いように筆が走った。

うるおい豊かな自然の状景が、筆の先から次々と生み出されていく。梅にとまった鶯のつがいは今にも楽しげにさえずりそうだし、水鳥の雛はえさを求めて水にもぐりそうである。

墨で描いているにもかかわらず、信春の手にかかると梅の花がほんのりと薄紅色に見えるから不思議だった。

「父上、上手だね」

久蔵は一日中信春の側にいて、一挙手一投足に目をこらしている。静子は二人の様子を遠くで見守りながら、家事にいそしんでいた。

十日ほどで十六面の下絵が完成した。信春は本物と同じように立てて並べ、その中に親子三人

で座ってみた。

松の下で鳴く鶴は、牧谿の観音猿鶴図の鶴を模写したものだ。西側に描いた秋枯れの野に立つ木の枝にも、牧谿を写した猿の親子を小さく描き加えていた。

「猿がいては、山水花鳥図にならないのではありませんか」

静子はいち早く不自然さに気付いた。

「普通はそうだが、いつか観音猿鶴図を模写してみせると言っただろう。これがそうだ」

「まあ、可愛らしい。ねえ久蔵」

「うん。タカタカポンポだね」

久蔵は飛びはねて信春に肩車をせがんだ。

つづいて琴棋書画図に取りかかったが、その間にも政情は刻々と動いていた。

将軍足利義昭は去年の夏頃から織田信長との対立を深めていたが、朝倉と武田、本願寺の同盟が成った頃から、反信長の意志を明確に示すようになった。

そして武田信玄が三方ヶ原の戦いで大勝したと聞くと、側近の細川藤孝《ふじたか》らの制止をふり切って信長打倒の兵を挙げたのである。

義昭は二月二十六日に近江の石山、堅田の守りを厳重にし、信長軍の入京をはばもうとした。

このことについて『細川家記』は次のように伝えている。

〈信長の使者ども追い返され、武田、上杉、浅井、朝倉らをはじめ、五畿内、四国、西国までも信長追討の御教書を下され、御合戦の御用意にて、先に江州石山、堅田に要塞を構えらる〉

このことが知れると洛中は騒然となった。

信長軍の侵攻を恐れ、家財を荷車に積んで都から逃げ出す者。戦火にあう恐れの少ない神社や寺に財産を預ける者。戦火や略奪にあわないように家や蔵を厳重に閉ざし、戸口を泥でぬり固める者。

みんな我身と家族を守ろうと必死である。

心の内では将軍の勝ちを祈っていても、信長軍の圧倒的な強さを知っているだけに、最悪の事態に備えずにはいられないのだった。

知らせは信春のもとにも届いた。執行の日賢が教行院に駆け込み、義昭が兵を挙げたと告げたのである。

「二条御所のまわりには、奉公衆《ほうこうしゅう》が兵をひきいて続々と集まっておられます。いよいよですぞ」

何事にも慎重な日賢が、気持の高ぶりをおさえきれずにいた。

「そうですか。この先どうなるのでしょうか」

「公方さまが起たれるのですから、諸国の大名が身方するでしょう。西国の毛利も、水軍をひいて大坂に馳せ参じるそうでございます」

「都が戦場になることはありませんか」

信春は信長軍の恐ろしさを骨身に徹して知っている。一人ならまだしも、静子や久蔵のことを思えば慎重にならざるを得なかった。

「公方さまは信長勢の侵攻をはばむために、石山や堅田の備えを固めておられるそうでございま

す。それに天下無双の武田信玄が三河でにらみを利かせているのですから、信長は西に軍勢を向けることはできませぬ」

「信長に身方する大名が、都に攻め込んでくることはありませんか」

「大和の松永弾正でさえ、公方さまに従っているのですよ。公方さまに弓を引くことを承知で信長に身方する者など、畿内には一人もいないはずです」

「しかし、万一ということもありましょう。それに備えて避難を始めている者もいると聞きましたが」

「訳も分らず騒ぎ立てるのは群衆の常ですよ」

日賢は僧侶にあるまじき不心得なことを言い、たとえ洛中が戦場になってもこの寺が巻き込まれることはないと断言した。

「上京《かみぎょう》は守護不入の地ですから、大名が軍勢をひきいて入ることはできません。それに長谷川さまのお陰で、当寺は先の帝のご位牌所にしていただきました。ですから信長ごときが手を出すことはできないのです」

都は不気味な緊張をはらみながらも平穏を保っていた。武士たちは合戦の仕度に大童《おおわらわ》だが、庶民はいつもと同じ日常をつづける以外に生きる術はないのだった。

時は春である。去年の今頃は扇の絵を描いて糊口をしのいでいたことを思い出し、信春は仙洞御所の八重桜を見に行くことにした。

どん底であえいでいた時、あの桜にどれほど助けられたか分らない。戦が激しくならないうち

に、静子や久蔵にも一目見せておきたかった。

「久蔵、家《うち》に帰りたいか」

「お家って」

「七尾の家だ。なつかしいだろう」

「だって、帰れるの」

帰りたいけど無理なのだと、久蔵は子供ながらに諦めていた。

「出かけるぞ。洗い物などは後回しだ」

庭先でたらいに水を張っている静子に、急いで仕度するように言った。掃除も洗濯もお付きの小僧に申し付けてくれと言われている。だが静子は七尾にいた頃と同じように、すべて自分でやっていた。

目ざす桜は五分咲きだった。つぼみがようやく開きかけたばかりで、色もまだ白っぽい。生い茂る葉の勢いにかくれたようなおもむきである。

だが静子も久蔵も、これが七尾の家にあった花と同じだとすぐに分った。

「ほんとだ。お家に帰ったみたいだね」

久蔵は土塀によじ登りたげにして桜を見上げている。信春は後ろから抱き上げて肩車をした。

「お爺さんが株を分けてもらった桜は、これだったのですね」

七尾にいた頃の幸せな暮らしを思い出し、静子は涙ぐんでいた。

ついでに鴨川まで足を伸ばしてみることにした。満開の桜並木を二人に見せたかったからだが、

下京《しもぎょう》に入ると町は騒然としていた。

足利義昭の奉公衆たちが、都の守りを固めるために鴨川に逆茂木《さかもぎ》を植え土手に柵をめぐらしていた。

先に義昭が石山、堅田にきずかせた砦は、柴田勝家《しばたかついえ》らによって易々と攻略されている。もはや鴨川の流れを頼りに都を守り抜くしかないと、桜の木まで切り倒して柵や逆茂木にしていた。

奉公衆の誰もが信長軍におびえている。それゆえ町人や河原に住む者たちまで徴用し、刀や鞭でおどしつけて工事を急がせていた。

信長が動いたのは三月二十五日。

三万余の兵をひきいて岐阜城を発し、二十九日に洛東の知恩院《ちおんいん》に入った。

ここを本陣として情勢の分析を急ぎ、義昭の近臣だった細川藤孝らを通じて和睦を申し入れた。

宿敵武田信玄は三河の野田城に兵をこめたまま、病を得て動けずにいる。朝倉義景は北陸路の雪にはばまれ、近江にさえ出陣できない有様である。

信長はこの機をついて電撃的に上洛し、将軍義昭に圧力をかけて和を結ぼうとした。そうすれば先の御教書は無効になり、反信長勢力は挙兵の大義名分を失うからである。

だが、このことは義昭も承知している。ここは何としてでも耐え抜いて身方の来援を待とうと、二条御所の守りを厳重にして信長の要求を拒み抜いた。

信長の脅迫に耐え抜いた果ての挙兵だけに、すでに死は覚悟している。たとえ討ち果たされても、信長に主君弑逆《しいぎゃく》の汚名をきせることができれば本望だと肚をくくっていた。

義昭にこんな出方をされると、さすがの信長も手詰りになった。

何しろ足利将軍家には二百四十年ちかくつづいた権威と実績がある。その将軍を討ったなら二度と政権の正統を主張できなくなることは、義輝を討った松永弾正と三好三人衆の末路を見れば明らかだった。

窮地におちいった信長は、朝廷に和議の仲裁をたのむことでこの難局をのりきろうとした。

言うまでもないことだが、征夷大将軍《せいいたいしょうぐん》は天皇が任命する。いかに武家の力が盛んであろうと、天皇の信任がなければ天下に号令する大義名分は得られない。

信長はこの関係に目をつけ、正親町天皇に和議の勅命を出してもらうことにした。義昭がこれを拒んだなら、天皇の命に逆らったので成敗したと主張することができるからだ。

ところが朝廷は、眦《まなじり》を決してこの要求を拒んだ。すでに一度、信長に煮え湯を飲まされていたからである。

三年前の元亀元年（一五七〇）の暮、信長は天皇の勅命によって比叡山延暦寺に立てこもった浅井、朝倉と和議を結んだ。将軍義昭を立ち会い人にした上で、近江の占領地から撤退し、浅井、朝倉、比叡山に遺恨は持たないと誓約した。

ところが翌年八月には浅井攻めの兵を起こし、九月には比叡山を焼討ちして僧俗男女三千余人をなで斬りにした。

こんな仕打ちをされながら再び和議の勅命を出したなら、天皇の権威は地におちる。天皇御自身もそれを補佐する公卿たちもそう判断し、もはや信長の申し出には応じないという方針をつら

ぬくことにしたのだった。

ところが信長は第六天の魔王である。拒否の返答を聞くやいなや、京都奉行の村井貞勝を内裏につかわし、勅命を出していただけなければ洛中、洛外に戦火がおよぶことになるがよろしいかと申し入れさせた。

それでも朝廷は応じない。いくら何でもそこまではするまいと高をくくっていたようだが、信長は四月二日に洛外の二十八ヵ所に火を放ち、九十町あまりを焼き払って、単なるおどしではないことを示した。

翌三日には二条御所を包囲し、義昭と朝廷の双方に要求に応じるように迫ったが、期待した成果は得られない。そこで四月四日に上京に焼討ちをかける暴挙に打って出たのだった。

この日、信春は明け方まで山水花鳥図を描いていた。

三分の一の縮小版に描いた絵を、実際のふすまに写す作業である。東側四面の梅に小禽《しょうきん》図が終り、北側の松に鶴の図に移っている。ここは牧谿を模写したものだけに力が入り、夜が明けるのも忘れて取り組んでいた。

大切なのは松や鶴を写実的に描くことばかりではない。その場の空気感をとらえなければ牧谿の境地に迫れないが、これは至難の技だった。

見えない空気を描くには遠近法を用いて奥行きをもたせたり、霧やかすみをたなびかせて陰影をつけるが、これだけでは牧谿のあの感じにはならないのである。

いったいどんな技法を用いればいいか分らないまま、信春は足場の上で呻吟していたが、明け

方になって空気を描こうとするから駄目なのだと思い当たった。

物はすべて空気の中にあるし、人は空気を通して物を見ている。松と鶴をそのように描いたなら、おのずと空気感が出てくるのではないか……。

汗がしたたるのを止めるために鉢巻をしめ、一筆ごとに迷いながら描き進めていると、遠くで半鐘《はんしょう》の音がした。

初めは気にも止めなかったが、音は次第に大きくなっていく。

（どこかで火事が起こったようだ）

絵に没頭するあまり、信春は都がどんな状況におかれているか忘れていた。

やがて鉄砲を撃つ音がまばらに聞こえた。半鐘の音もけたたましくなり、危険が迫っていることを告げている。

信春はようやく現実にもどった。だが襖絵を中断したくないばかりに、上京は守護不入権に守られているから安全だという日賢の言葉を信じようとした。

その時、一条通から、

「焼討ちだ。信長が攻めて来たぞ」

叫び声と人のざわめきが聞こえた。

信春はぞっとした。比叡山でのことが脳裡をよぎり、身がすくむ思いで表に飛び出した。

鴨川ぞいに火の手が上がっている。荒神口《こうじんぐち》のあたりから今出川通まで、土手にそって縦一列に放った火が、炎の壁となって燃え上がっていた。

火は風にあおられ、隣家を巻き込みながら少しずつ西に進んでくる。

信春は一瞬駆け出しそうになった。何が起こっているのか確かめたい衝動につき動かされたが、すぐに妻子が先だと思い直した。

「静子、久蔵、起きろ」

教行院に駆けもどって二人をゆり起こした。

「どうかなされましたか」

静子はすぐに目をさましたが、久蔵は寝入り込んだままである。夜明け前だから無理もなかった。

「信長が上京を焼討ちする。逃げる仕度をしておいてくれ」

「あなたは」

「日賢どのに知らせてくる。ご本尊や寺宝を守るのに人手がいるはずだ」

信春は隣の部屋に寝ている日通らを連れ、薄暗い参道を本堂に向かった。

日賢は起きていたが、事態が飲み込めずに右往左往している。まわりに十五人ばかりの僧が集まり、不安そうにひと固まりになっていた。

「信長の焼討ちです。ご本尊と寺宝を早く安全な所に」

「そんな馬鹿な。ここは帝のお膝元ですぞ」

日賢は自分の考えに固執しようとした。

「火が迫っています。この寺も無事ではいられません」

宝物殿の地下には収蔵庫があった。戦乱や火災にそなえたものである。そこに本尊や寺宝などを入れ、石の扉を厳重に閉ざした。

「日賢どのは、寺の方々をつれて避難して下さい。下京に行けば大丈夫だと思います」

標的とされたのは上京だけである。下立売通《しもだちうり》より南は平穏を保っていた。

「長谷川さまは」

「妻子を連れて逃げます。織田勢に目をつけられていますから、一緒に行くわけにはいきません」

教行院にもどると、静子は山のように荷物を集めていた。着物や画材、米や鍋釜など、当面必要なものだけでも両手にあまるほどだった。

「何をしている。引っ越しでもするつもりか」

信春は思わず大声を出し、持ち出すのは水と銀の小粒だけでいいと言った。

「だって着替えや食物がいるでしょう」

「生き延びるのが先だ。後のことは何とかなる」

信春は久蔵を前に抱き、帯でしっかりと結びつけた。片手に六尺棒を持ち、もう一方で静子の手を握って西に向かった。

ところが西からも炎の壁が迫っていた。東西から火を放ち、次に南北を閉ざして逃げ道を封じるつもりらしい。

信春は空を見た。風は南西から吹き、煙は京の都をはすかいに横切って北東に流れていく。

次は南に火をかけ、人々が逃げまどって風上に向かう頃を見計って北側の出口を閉ざす。逃げるなら南だが、二条御所を包囲した信長軍の横を通らなければならない。万一見つかったなら、親子三人有無を言わさず首をはねられるおそれがある。

信春は北に向かうことにした。智恵光院《ちえこういん》の前の通りをひたすら北に向かえば大徳寺にたどりつく。信長軍が上京を火で封じる前に寺に駆け込み、古渓らの慈悲にすがるつもりだった。

西側に放たれた火は、風に吹かれて猛烈な早さで迫ってくる。

黒煙に視界が閉ざされ、火の粉が舞って肌を焼く。

信春は風上に立って静子を守りながら、ひたすら走った。

今出川通まで出た時、

「いたぞ。あそこだ」

背後で叫び声が上がった。

はっとふり返ると、黄色の地に木瓜《もっこう》紋の旗差しをした足軽たちが十人ばかり、刀をふりかざして追ってきた。

織田信忠の手勢である。

彼らは比叡山の焼討ちの時に信春に蹴散らされた恥をすすぐために、ずっと本法寺を見張っていた。だが寺が後奈良天皇の御位牌所とされたために、手出しができなくなった。そこで焼討ちの混乱に乗じて結着をつけようとしていた。

信春は通りをはずれ、どことも知れぬ路地に逃げ込んだ。町屋の間の路地を抜けると、井戸の

ある中庭に出た。

皆が共同で使う井戸で、庭の片隅の物干しには女物の着物と腰巻きがかけてある。昨日までの平穏な暮らしをうかがわせる光景だが、すでにどの家にも人はいなかった。

「これを飲め」

信春は井戸水をくみ上げ、釣瓶《つるべ》ごと静子に渡した。

「火の粉がかかるかもしれぬ。手ぬぐいをかぶって、頭から水をあびておけ」

腹にくくりつけた久蔵にも水を飲ませ、二人して頭から水をかぶった。

「父上、寒い」

久蔵は歯の根が合わないほど震えていた。

恐怖のためかと思ったがそうではない。額に手を当てるとひどい熱があった。

「まあ、大変」

静子が久蔵を抱き取ろうとした。

「もう少しの辛抱だ。大徳寺に着けば薬がもらえる」

信春は静子を制し、入った時と反対の路地を抜けて通りに出た。

前の方に家財を荷車につんだ六人連れがいた。横の路地からも年寄りを連れた家族五人が飛び出してきた。信春はその列にまぎれて逃げようとしたが、人並みはずれて背が高く、遠くからでも人目につく。

「あれだ。逃がすな」

二人ずつに分れて行方を捜していた足軽が、指笛を鳴らして仲間を呼んだ。

信春は先を急ごうとしたが、荷車にさえぎられて前に出られない。やむなく再び路地に逃げ込んだが、後ろの静子が何かにつまずいてばったりと倒れた。

「静子、大丈夫か」

助け起こしている間にも、追手は四人になって迫ってくる。

「久蔵を頼む。先に行け」

信春は帯をといて久蔵を渡し、路地の入り口で敵を待ち受けた。

四人はたちまちまわりを取り囲み、戦場なれした容赦のない目をして刃を向けた。

「長谷川信春だな」

「そうだ」

「比叡山でお前に討たれた長井兵庫助の兄、武左衛門だ。弟の仇を討たせてもらう」

信春はあの時、幼い子を抱いた僧を無我夢中で助けたばかりである。誰を討ち取ったのか、何人に手傷を負わせたのかさえ覚えていない。

だが討ち取られた側は、絵師ごときに敗れたとあっては武士の面子が丸つぶれになる。それゆえ武左衛門は、弟の仇を討って恥をすすごうと機会を狙っていたのだった。

信春は六尺棒を槍のように構え、路地の奥へ五、六歩退がった。

路地の幅は四尺ばかりで、一人ずつしか踏み込むことができない。その利を生かして撃退するつもりだった。

「こしゃくな。かかれ」

武左衛門の声に応じて、長身の足軽が斬りかかってきた。

足軽は胴丸をつけ額金を巻いている。たとえ六尺棒で突かれても命に別状はないと、勇み立って右八双からの一撃を放った。

ところが狭い路地では大刀《だいとう》はふり回せない。最初のひと太刀をかわされると、すぐに斬り上げることはできなかった。

信春はそれを見越して充分な間合いを取り、相手の一撃をかわして右の膝頭を突いた。強烈な突きが相手の膝の皿をみじんにくだいた。

「ぎゃあぁ」

足軽は絶叫し、膝をおさえて転げ回った。

これだけで相手は戦闘能力を失い、戦列にとどまることができなくなる。戦場で用いる介者《かいしゃ》剣法とはそういうものだと、信春は幼い頃から父や兄に叩き込まれていた。

残りの三人は気を呑まれて二、三歩後ずさった。こうなると六尺棒の方が刀より有利である。しかも倒れたままの足軽が邪魔になって、踏み込むことができずにいた。

この隙に信春は路地の奥に走り込んだ。さっきと同じように中庭があり、静子が久蔵を抱いて井戸の側に立ちつくしていた。

「どうした。早く逃げろと言ったろう」

「この子が吐いたのです。水を飲ませないと」

聞くなり信春は腰につけた竹筒の水をふくみ、口移しで久蔵に飲ませた。背中をさすって呼吸を楽にし、

「もう少しだ。私が守ってやるから安心しろ」

今度は両腕に抱き、揺らさないように注意しながら再び通りに出た。

ここがどこかも分らないまま夢中で走っていると、真教寺《しんきょうじ》の前に出た。

有難い。ここから大徳寺まではもう少しだと先を急いでいると、武左衛門らが先回りして立ちはだかった。

配下は八人にふえている。後ろからも五人が迫っていた。

「手こずらせおって。ここで引導を渡してやる」

武左衛門が二間半の長槍を手に迫ってきた。

前後は敵、左右は寺の長い塀で、逃げ道はどこにもない。もはやこれまでと観念した時、大徳寺の方から騎馬武者五騎が砂煙をあげて駆け寄ってきた。

先頭の武者は、信長の使い番であることを示す緋色の撓《しな》いを背負っていた。

「静まれ。狼藉はあいならぬ」

使い番の武者が、武左衛門と信春の間に割って入った。

「住人の殺生は禁じられておる。丸腰の者を相手に何をしておるのじゃ」

「我らは織田信忠さまの手の者でござる。子細あってのことゆえ、お口出しは無用に願いたい」

武左衛門がどけとばかりに槍を横にふった。

「異なことを聞く。ご嫡男信忠さまが、信長公のご命令に背いてよいとおおせられたか」

「いえ、そ、それは……」

「本日の殺生禁令は全軍に申し渡されたものじゃ。それを承知で背くとあれば容赦はせぬ」

使い番の武者が馬上筒を取り出し、武左衛門にぴたりと狙いをつけた。

こうなっては足軽たちに刃向かう術《すべ》はない。武左衛門は信春をひと睨みしただけで、おとなしく引き上げていった。

「今のうちです。早く大徳寺に向かわれよ」

使い番が馬上から声をかけた。

明らかに信春と知って助けたようだが、兜をかぶり面頰《めんぼう》をつけているので誰だか分らなかった。

「あの、どちら様でしょうか」

「前に助けていただいた者です。命あらば再びお目にかかることもありましょう」

使い番は名を明かさぬまま、他の四騎を引きつれて南に向かっていった。

信長軍は南からも火を放ち、上京を焼け野原にした。焼失した家屋は七千戸におよんだというが、北側に火を放って住民の逃げ道をふさぐことはしなかった。

使い番の武者が言ったように、住民の虐殺や略奪を厳重に禁じていた。火事は戦火のせいにできるが、配下の軍勢が狼藉をはたらいたとなれば言い訳は通じないからである。

それにしても信長のやる事は凄まじい。

このままでは本当に内裏ごと焼き殺されかねないと危惧した朝廷の面々は、四月五日に二条御

所に勅使をつかわし、信長と和睦するようにという勅命を伝えた。

もし義昭がこれに背いたなら、信長は朝敵を討伐するという名目で二条御所を攻め落とし、幕府を滅ぼすことができる。

義昭はこれを避けるために和議に応じ、武田、朝倉、毛利までも糾合《きゅうごう》した信長包囲網は、あえなく寸断されたのだった。

第五章　遠い故郷

上京焼討ちから六年――。

天正七年（一五七九）の年明け早々、織田信長は安土城の天主閣を完成させた。外観は五重、内部は七重。我が国最初の本格的な天主閣が安土山の山上に誕生したのである。

その全容については、太田牛一が記した『信長公記』の「安土山御天主の次第」に詳しい。天主閣を支える石垣の高さは十二間余（約二十二メートル）で、内側は土蔵になっていた。これが第一重目である。二重目は二十間×十七間、三百四十坪の広さがあり、高さは十六間半。

信長の居室だった十二畳の間には、

〈墨絵に梅の御絵を狩野永徳に仰付けられ、かゝせられ、何れも下より上迄、御座敷の内御絵所《えどころ》悉く金なり。同《おなじま》間の内御書院あり。是には遠寺晩鐘《えんじばんしょう》の景気かゝせられ（以下略）〉（『信長公記』角川文庫版）

永徳が描いた水墨画と金碧《きんぺき》障壁画があった。遠寺晩鐘の景気（景色）とは、中国の瀟相八景の

ひとつである。

永徳は天正四年（一五七六）に安土城の普請が始まった頃から、信長に招かれて城内の絵を担当していた。天主の絵もすべて永徳とその一門が手がけたのである。

太田牛一も絵の様子を逐一記しているので、当時は城内に何が描かれているかがきわめて重要だったことがうかがえる。絵師の地位もそれだけ高かったということだ。

〈三重め、十二畳敷、花鳥の御絵あり。則《すなわち》、花鳥の間と申すなり〉

〈次南八畳布《じき》、賢人の間にひょうたんより駒の出でたる所あり。東麝香《じやこう》の間〉

麝香の間とは麝香鹿を描いた部屋のことで、他にも呂洞賓《りよどうひん》という仙人や西王母《せいおうぼ》という仙女、駒の牧を描いた部屋があった。

〈四重め、西十二間（畳）に岩に色々木を遊ばされ（描かせられ）、則、岩の間と申すなり。次西八畳敷に竜虎の戦《たたかひ》あり。南十二間、竹色々かゝせられ、竹の間と申す。次十二間に松ばかりを色々遊ばされ、則、松の間と申す〉

他にも許由《きよゆう》と巣父《そうほ》の故事を描いた部屋や、金泥ばかりで絵のない七畳間もあった。

〈五重め、御絵はなし〉

今までこれでもかとばかりに絵を配してきたが、この階は絵がない質素なもので「こ屋の段」と呼んだという。これは次の六、七階の壮麗さを際立たせるための演出だった。

〈六重め、八角四間あり。外柱は朱なり。内柱は皆金なり。釈門十大御弟子等、尺尊（釈尊）成道御説法の次第、御縁輪には餓鬼《がき》共、鬼共かゝせられ、御縁輪のはた板にはしやちほこ。ひれう

（飛竜）をかゝせられ、高欄ぎぼうしほり物あり。
上七重め、三間四方《よほう》、御坐敷の内皆金なり。そとがは是又金なり。四方の内柱には上竜《のぼりたつ》、下《くだり》竜《たつ》、天井には天人御影向《ごやうごう》の所、御坐敷の内には三皇、五帝、孔門十哲、商山四皓、七賢等をかゝせられ、ひうち（火打ち金）・ほうちやく（宝鐸）数十二つらせられ、挟間戸《サマト》鉄《くろがね》なり〉

こうした華麗な城や金碧障壁画が出現したのは、信長の時代が高度経済成長期だったからである。その直接の原因となったのは明国や南蛮との貿易だが、背景には石見銀山や生野銀山での金銀の大増産があった。

その頃、長谷川信春（等伯）は堺にいた。

京都の本法寺が焼討ちにあって以来、各地を転々としたが、三年前から堺の妙国寺《みようこくじ》に親子三人で身を寄せていた。

妙国寺の住職は油屋常言《あぶらやじようごん》の子日珖《にちこう》上人である。信春の付き人をしていた日通の一門にあたるので、その縁で世話になったのだった。

広普山《こうふさん》妙国寺は、日珖上人が三好之康《これやす》（長慶の弟）から土地の寄進をうけ、実父油屋常言の経済的な支援によって開山したものである。

之康が戦死した永禄五年（一五六二）に着工し、元亀二年（一五七一）には本堂や学問所が完成した。

その後も拝殿や四足門、御影堂などが設置され、日珖ゆかりの僧たちの塔頭も甍《いらか》をならべて、堺有数の大寺院としての偉容をととのえつつあった。

今でも境内には、国指定の天然記念物である大蘇鉄《そてつ》が千年以上といわれる樹齢を保っている。安土城の築城に際して、信長は日本一と称されるこの蘇鉄を城内に移植した。ところが蘇鉄が堺を恋しがり、妙国寺に帰りたいと夜毎に泣く。腹を立てた信長は、刀をつかんではっしと斬りつけた。

すると切り口から真っ赤な血がふき出したので、信長は気味悪がって堺に返した。

妙国寺にはそんな伝説がある。

蘇鉄は一年中緑の葉をつける常緑樹である。それにちなんで境内には常緑坊という塔頭がある。信春らはこの塔頭の一室で、毎日蘇鉄を見ながら暮らしていた。

この春から、京都本圀寺《ほんこくじ》の日禛《にっしん》上人の尊像に取り組んでいる。日禛が朝廷から法印《ほういん》の位をさずけられたので、師匠である日珖がお祝いに贈ることにしたのだった。

「日堯の尊像のように描いて下され。日禛さんは日堯の志を、よう受け継いでくれてはりますよってな」

日珖と日堯は油屋の一門で、師匠と弟子の関係だった。それゆえ日珖は、信春が描いた日堯の尊像を何度も見ていたのである。

これは世話になっている日珖に恩返しをするいい機会である。信春は二つ返事で引き受け、日禛にも会って素描をしたが、一月ちかくたっても仕事が手につかなかった。

妻の静子が病気をわずらっているので、気になって集中できなかったのである。

昨年の暮れから、静子は乾いた咳をするようになった。

風邪をひいたのだろうと初めは軽く考えていたが、年が明けても咳がおさまらない。顔から血の気がひいて、日に日に体力がおとろえていく。

寺にゆかりの医者に診てもらったが、風邪だろうと飲み薬を処方したばかりである。静子は律義にそれを飲みつづけたが、病状はいっこうに改善しなかった。

食欲もないので痩せおとろえるばかりで、日の半分は寝付いている。本当はずっと横になっていたいのだろうが、信春に気遣わせまいと無理をしているのだった。

だから信春も平気なふりをしている。春になって花が咲く頃になれば、病気の奴も浮かれてどこかに飛んでいくだろうと軽口を叩いているが、本当は心配でたまらなかった。

七尾を追われて八年、愚痴ひとつこぼさずについてきてくれた妻である。もし何かあったならと思うだけで、心がざわめいて夜も眠れない。

そんな時に静子が咳をするのを聞くと、凍えたように体が震え出すのだった。

そうした心の乱れが、絵に集中することを妨げている。それに日堯を描いた時のような深い思いが、どうしてもわき上がってこないのだった。

日禛は弱冠十八歳である。後に加藤清正《かとうきよまさ》の帰依《きえ》を受けるほどの名僧になるが、まだ修行が仕上がっているわけではない。

法印の位をさずけられたのも、大本山本圀寺の住職に任じられたのも、権大納言《ごんのだいなごん》広橋国光《ひろはしくにみつ》の子だという出自の良さを買われてのことだ。

面長で丸みをおびた気品ある顔立ちで、法華経全巻をそらんじるほど聡明だが、信春はこうし

たたぐいの人間が好きになれなかった。

十一歳で染物屋に養子に出され、どん底から這い上がるような気持で絵の道に精進してきた。そのせいか、初めから何もかも与えられている男を見ると反感を覚えずにはいられなかった。それに日禛を描こうとすると、どうしても日堯の最期を思い出す。

日堯は信長の比叡山焼討ちで犠牲になった者たちの亡魂を折伏しようとして日々やつれていった。その姿が静子と重なり、矢も楯もたまらない気持になるのだった。

信春は日堯の尊像とは反対向きに日禛を描いたり、大和絵の手法を用いて行き詰まりを打開しようとしたが、気の乗らない筆は力なく画紙の上をさまようばかりだった。

ふすまの向こうから静子の咳が聞こえた。

昼過ぎから眠っていたが目をさましたらしい。口に手を当てて咳込むまいとしている気配が伝わって、信春はいっそう辛い気持になった。

「どうした。目が覚めたか」

信春はふすまを開けて枕辺に寄った。

「すみません。お仕事の邪魔をして」

「何を言うか。咳くらいで気が散るようでは、いつまでたってもまともな絵師にはなれまいよ」

「でも、描けなくて苦しんでおられるのでしょう」

「描けないのではない。描かないのだ」

絵というものは、描き手の内面が成熟すればおのずと外に出てくる。井戸の水がたまるのを待

って汲み取る境地だと、信春は禅僧のように悟りすました顔をしてみせた。

「まあ、ご立派な心がけですこと」

静子が無理に笑おうとして激しく咳込んだ。

信春は発作がおさまるのを待ち、肩に手をそえて上体を起こした。骨の感触が伝わるほどにやせて、哀《あわ》れなほど軽くなっていた。

「さっき寺の方が、甘葛《あまずら》を持ってきて下された。喉にもいいし栄養もつくそうだ」

信春は備前の壺に入れた甘葛を、茶碗につぎ分けてやった。甘茶蔓《あまちゃづる》から取った甘味を湯にといたものだった。

「おいしい。体中にしみ渡るようです」

静子は両手で茶碗を持ち、大事そうに少しずつ飲んだ。

部屋の隅には文机と書物を並べた小さな棚がある。十二歳になった久蔵の勉強の場所だが、今は寺の学問所へ出かけていた。

「近頃は難しい本ばかり読むようになって、わたくしの言うことなんか聞こうともしないのですよ」

もう手習いの師匠の出る幕ではないと、静子が淋しげに笑った。

「お前に心配をかけまいとして、わざと生意気なことを言っているのだ。本当はもっと教えてもらいたいのに、痩我慢をしているのだよ」

「まあ、そうでしょうか」

「あれくらいの年頃の子は、みんなそんなものだ」

「そういえば、あなたが長谷川家に来て下さったのも、ちょうど久蔵くらいの歳でしたね」

「十一だった。今の久蔵よりひとつ下だ」

信春は細かくこだわった。

武家から商家に養子に出された時は、世界が崩れ去ったような衝撃を受けたものだ。そのせいか当時のことを克明に覚えていた。

「さらわれた子供のような顔をして、お店の玄関先に立っておられましたものね」

「腹を立てていたのだ。養子に出した父上にも、出された自分にも」

「でも、愚痴も泣き事も言わずに、本当によく修行をしておられました。あなたに来ていただいてから、うちの父は変わりましたもの」

「それは初耳だな。どんな風に変わられた」

「どんな風に、ですか」

静子は遠い目をしてしばらく考え込んだ。

「家にいることが多くなりました。お酒を控えて絵の修行に打ち込むようになりました。それから、わたくしに優しくなりました」

「お前には初めから優しかったろう」

「いいえ。それまでは苛立って八つ当たりすることもあったのですよ」

「妙だな。私が来てから、どうして急に優しくなられたのだ」

「分りません。父にたずねるわけにはいかないでしょう」

静子はふっと笑みを浮かべた。

久々に見せる晴れやかな笑顔だった。

「でもね。あなたの妻になるのだから、がさつな女に育てては申し訳ないと思っていたようですよ」

「そうか。そのお陰で、私は天下一の女房どのに恵まれたわけだ」

信春は冗談めかして言ったが、心の底からそう思っている。亡き養父の配慮も、しみじみと有難かった。

外でにぎやかな足音がして久蔵が入ってきた。

髷をゆった若衆姿をして、両手に木の箱を抱えている。信春に似て背が高く、大人にひけを取らないほどの体格をしていた。

「父上、母《かか》さま、ただ今戻りました」

立ったまま高揚した声をあげ、静子の前に木箱をおいた。

「何ですか。これは」

「この中に世界というものが入っています。父上や母さまにご覧いただきたくて、学問所から借りてきたのです」

久蔵は興奮さめやらぬ顔でふたを開け、中から地球儀を取り出した。

ポルトガル人たちが伝えた地球儀を、精巧に複製したものである。南蛮貿易が盛んな堺では普通に出回っていたが、信春も静子も見たのは初めてだった。

「私たちが住んでいる世界は、このように丸い形をしているそうです。日本はどこだか分りますか」

久蔵が得意そうに地球儀を回した。

「明国や朝鮮のとなりだろう」

信春にもそれくらいの知識はあったが、どこかは分らなかった。

「何だか手鞠のようですね」

静子も久蔵にならって地球儀を回してみた。

「日本はここです。弓のような形をして、この大陸のはじにへばりついている奴です」

朝鮮はここ。明国とインドはここ。そしてポルトガル人が住んでいるのはこの地球の裏側だと、久蔵は教えられたばかりの知識を夢中で語った。

信春と静子は何と応じていいか分らず、戸惑った顔を見合わせるばかりだった。

「聡《さと》い子や。さっそく伝教してはるんやな」

日珖上人がにこにこしながら入ってきた。

妙国寺の開山で四十八歳になる。日蓮宗きっての学僧で、教学に精通している。それが評価されて、後に日蓮ゆかりの中山法華経寺《なかやまほけきようじ》（千葉県市川市）の住職も兼ねるようになった。

恰幅のいい堂々たる風采で、誰からも親しまれるおだやかな人柄だった。

「さっき先学に面白いことを尋《たん》ねたやろ。あの話をしたってや」

「さっきと申しますと」

「地球が回っとんのなら、鳥はどうして元の場所に戻ることができるかと言うたやないか」

「あの時、お上人さまもおられたんですか」

「通りがかりに学問所をのぞいたんや。面白いことを尋ねんのがいる思たら、やっぱりこの子でしたわ」

「あの……、何か失礼なことを申し上げたのでしょうか」

生意気なことを言って迷惑をかけたのではないかと、静子は生きた心地もしないようだった。

「母さま、ちがいます。先学に地球は一日一回自転し、一年に一回太陽の周りを回ると教えていただいたのです」

だから朝と夜があり、一年ごとに四季がめぐるという。

だが地上がいつも回っているのなら、空を飛んでいる鳥たちは置き去りにされて、元の場所にもどれないのではないか。久蔵はそう考えて、日珖がさっき言った質問をしたのだった。

「これには先学の方が慌てましてな。まだそこまでは自分の勉強が進んでおらんと、素直に頭を下げよりました」

「それは出過ぎたことをいたしました。申し訳ございません」

「構いませんて。近頃はみんなヨーロッパのものが優れている言うて、訳も分らんと飛びつく輩《やから》が大勢おります。そやけど、この子のように自分の頭で物を考えんと、学問も修行も進みま

へん。日蓮上人も、夜は眠りを断ち昼は暇を止めて之《これ》を案ぜよと言うてはります」

それにつづく言葉は、一生空しく過して万歳悔ゆること勿《なか》れ。日蓮ほどこの言葉に忠実に、身命を惜しまず仏道に打ち込んだ修行者は日本でも稀《まれ》である。

その精神を日珖も信春も受け継いでいる。久蔵もこれにつづこうと、精一杯の背伸びをしているのだった。

「しかし医学と天文だけは、ヨーロッパのほうが進んどると聞いとります。港の近くの南蛮寺に、豊後からアルメイダという立派な医者が来て治療にあたっているそうです。静子さんも一度診てもらわはったらどうですか」

日珖はそれを伝えたくてわざわざ常緑坊に足を運んだのだった。

「それは有難い。一緒に診てもらいに行こうじゃないか」

信春は勇んで応じようとしたが、

「ええ、有難いお話ですが……」

静子は気乗りがしないようで、曖昧な返事をくり返すばかりだった。

「どうした。行きたくないのか」

「そのような偉いお医者さまに診ていただいては、もったいのうございます」

「病気を治すために診てもらうのだ。偉いももったいないもあるか」

早く病気を治したいばかりに、信春はつい強い口調になった。

追い詰められたように黙り込む静子を見て、

「母さまは南蛮のお医者さまが怖いんですよ」

久蔵が助け舟を出した。

南蛮人は牛の肉を食べ血をするという噂は、彼らが行く先々でついて回っている。血ではなく赤ワインなのだが、そうした噂を信じる者は多かった。

しかも南蛮の医者は、患者を裸にして体を触るという噂もある。静子が恐れるのも、あながち無理はないのだった。

「そんなら無理せんかてええ。診てもらう気になったら言うて下さい」

日珖は恐縮する静子をいたわり、信春をうながして部屋を出た。

「日禛さんの絵のことやけど、少しは進んではりますか」

「申し訳ありません。下書きはしたのですが、いまひとつ気持が乗りませんので」

「見せてもろてよろしいか」

「ええ、どうぞ」

信春は仕事場にしている部屋に案内した。

広げたままの下書きを、日珖は立ったままじっと見つめた。

「確かに、あまり描きとうなさそうやな」

「お分りになりますか」

「絵のことは分らへんけど、線が死んどることくらいは見えますよって」

正鵠《せいこく》を射た指摘である。信春は何とも応えることができず、凍りついたように立ちつくした。

「今度の花祭りに、日禛さんが本堂で門徒衆に話をして下さる。いい機会や。あんたも聞きに来なはれ」

そうすれば日禛がどれほどの求道者か分るというのである。

「人は生まれや育ちがいいからといって、幸せな生き方ができるとは限らへん。恵まれているからこそ辛いこともある。そやさかい日禛さんは仏弟子にならはったんや。そこが見えんと、この絵はいつまでも描けんやろな」

「すみません、そうさせていただきます」

信春は素直に従ったが、その前にひとつだけお願いがあると言った。

「家内が南蛮の医者を怖がっているようなので、私が下見に行って安心させてやりたいのです」

そうすれば静子も診てもらう気になるかもしれないと、藁にもすがる思いだった。

「そんならこれを持って行きなはれ」

日珖は静子に渡そうと、日比屋《ひび》了珪《りょうけい》にあてた紹介状を用意していたのだった。

三月になり桜の花も盛りを迎えた頃、信春は久蔵をつれて港の近くの南蛮寺をたずねた。久蔵は学問所で論語の講義を受ける日だったが、仮病を使って信春に同行した。

「だって母さまを安心させるために行くんでしょう。二つの目より四つの目で見たほうがいいに決ってますよ」

二人は久々に連れ立って表に出た。

久蔵は親と並んで歩くのが恥しいようで、三歩ほど遅れてついてくる。それでも心強い相棒の

ようで、信春は今まで感じたことのない安心感を覚えていた。

妙国寺の西側の道を下ると、港へつづく大路に出る。堺を横断する主要道路のひとつで、道の両側には大店《おおだな》が軒をつらねていた。

しばらく歩くと、港の側に日比屋了珪の店と屋敷があった。南蛮貿易で巨万の富をなした有力商人の一人で、ディオゴという洗礼名を持つキリシタンである。

了珪はフランシスコ・ザビエルが堺に来た頃から関わりを持ち、ガスパル・ヴィレラが京都で布教を始めた時には有力な保護者となった。

永禄七年（一五六四）に受洗し、屋敷の側に教会を建てて宣教師に提供した。これが都と同じように南蛮寺と呼ばれていたのである。

永禄八年（一五六五）に初めて堺港に入った時のことを、ルイス・フロイスは『日本史』の中で次のように記している。

〈彼らが下船するに先立って、堺の高貴にして名望ある一市民、日比屋ディオゴ了珪は、折から港内はかなり荒れていたが、一行の上陸用に一艘の大きいボートを差し遣わした〉（中公文庫版）

港の西側には戎島《えびす》があり、天然の防波堤になっている。入り口が狭いので大型船は港の外に錨を下ろし、ボートで上陸したのである。

この時、ルイス・デ・アルメイダもフロイスに同行して堺をたずね、日比屋了珪の屋敷に投宿した。

〈こうして彼らは同家に直行したのであるが、了珪は、まるで王侯が着いたかのように、彼らに

対して、いとも気前よく、愛情に満ちた歓待をした。彼は彼らを、邸内であるが、母屋《おもや》から離れたところにあるはなはだ美しく新しい一屋に泊らせた。というのは、堺の人々は裕福で、多数の客用の住居を構えているからである〉(『日本史』)

堺の豪商の暮らしぶりがうかがえる一文である。信春と久蔵がたずねたのは、この日比屋了珪の屋敷だった。

あいにく了珪は留守だったが、日珖の紹介状を差し出すと、三十ばかりの美しい目をした女が応待に出た。

首にはキリシタンの印であるロザリオをかけていた。

「わたくしは了珪の娘、春子と申します。どうぞ、こちらへ」

屋敷の裏庭から南へつづく小径がある。うっそうと生い茂る竹の林を抜けると、西洋風の瀟《しょう》洒《しゃ》な建物があった。尖塔の先に十字架をかかげた立派な教会だった。

教会の側には信者の子弟のための神学校《コレジオ》がある。久々に堺をたずねたアルメイダは、ここを病院にして患者を診察していた。

待ち合い室には二十人ちかくの患者がいた。

商人らしい恰幅のいい男や、従者をつれた武家の娘、腰の曲がった老僧、赤ん坊を抱いた母親など、さまざまな階層の者たちが長椅子に腰を下ろして順番を待っている。

貧しい身形《みなり》をした者や、業病《ごうびょう》をわずらって覆面をしている者もいたが、アルメイダは皆を平等に診察していた。

「ご用はお伝えいたしましたので、ここでお待ち下さい」

モニカという洗礼名を持つ了珪の娘は、治療の手伝いをしているらしい。待っている者たちから声をかけられると、親身になって病状をたずねていた。

アルメイダに会う順番を待つ間、信春は患者の顔を指で太股《ふともも》に描いていた。

幸せな人の表情は似通っているが、苦しんでいる人の顔はそれぞれに個性的である。心の底の執着と不安を無防備にさらけ出している。

その姿を目の当たりにできるのは、絵師としては有難い。こうした表情を克明に記憶しておけば、画題に応じて使うことができる。

だが画帳を取り出して描くのは失礼なので、信春は誰にも気付かれないように指で太股に描く習慣を身につけていた。

目で見ただけでは忘れるが、描いたものは決して忘れない。それゆえ己れの体に記憶として刻みつけるのだった。

「父上、足がかゆいのですか」

「どうして」

「だって、さっきから」

久蔵には信春が足をかいているように見えたようだった。

「ちがう。これはな」

信春は久蔵を待ち合い室から連れ出し、絵を描いているのだと教えた。

「絵師は常に五感を開いて、この世のすべてを受け止めなければならぬ。どんなことからも目をそらしてはならぬのだ」

信春は席に戻って再び指で素描をはじめた。久蔵もこれまでとはちがう目で患者たちを見つめていたが、指を動かそうとはしなかった。

半時ほど待った頃、モニカがお入り下さいと声をかけた。

ルイス・デ・アルメイダは初老の修道士だった。黒い長衣の上に白い前掛けをつけ、鼻眼鏡をかけて椅子に座っている。

髪を短く刈り込み、金色のあごひげをたくわえているが、西洋人としては小柄なほうだった。

「長谷川信春さまです。奥さまがご病気なので、相談に参られました」

モニカが簡潔に要点を伝えた。

「どんな様子ですか。できるだけ詳しく話して下さい」

アルメイダは日本に来て二十七年になる。日本語も不自由なく話すことができた。

「昨年の暮から咳をするようになりました。初めは風邪だろうと思っていたのですが、三ヵ月がすぎても良くなりません」

近頃は痩せて食欲もあまりないと、信春は懸命に病状を訴えた。

「熱はありますか」

アルメイダがメモを取りながらたずねた。

「いいえ。ないと思います」

「痰《たん》はどうですか」

「喉につまるということはありません」

「痛みはどうです」

「え？」

「どこか痛んだりしませんか」

信春は答えられなかった。たとえ痛んでいたとしても、静子は黙って耐えている。それに甘えていたわけではないが、これまで深くたずねようとしなかった。

「もしかしたら肺炎かもしれません。注意をする必要があります」

肺炎が細菌によって起こるとは、この頃のヨーロッパでもまだ解明されていない。だが病状については、古代ギリシャのヒポクラテスの頃から研究されていた。

「ともかく一度、ご本人を連れてきて下さい。触診をしてどこが痛むかが分れば、病状の見当もつきますから」

「体を触って状態を確かめるのでしょうか」

「そうです」

「実は家内は、西洋のお医者さまに診ていただいたことがないので、その……」

「心配いりません。女性の触診はモニカがいたしますから」

「あなたもお医者さまなのですか」

「ええ。修道士さまから手ほどきを受けております」

まだ未熟ですと謙遜したが、日比屋モニカはキリスト教に入信し西洋医学を学んだ、日本の女医のさきがけ的な存在だった。

それもアルメイダの三十年ちかくにわたる献身的な活動の賜物だったのである。

「修道士さまは四月末に豊後にお戻りになります。なるべく早く診察に来て下さい」

モニカは外まで信春らを見送り、久蔵の手に小さなお菓子を握らせた。金平糖《コンフェイト》というポルトガルから伝わったものだった。

「優しそうな方ですね。安心して診てもらうように、母さまに言わなくては」

久蔵はお菓子をくわえて上機嫌である。

金平糖はケシ粒を芯にして砂糖液をかけて作ったもので、これまでの日本にはない甘味だった。

「その菓子を静子に買っていってやろう。どこかで売っているはずだ」

海ぞいの道を北へ向かうと、材木町、宿屋町《やどやまち》がつづいている。その北の神明町《しんめいちょう》には、鉄砲鍛冶の作業場がびっしりと並んでいた。

町の西側には外港が広がり、百艘ちかい大型の船がもやっている。沖には船体を黒くぬり三本の帆柱をそなえた南蛮船が、錨を下ろして悠然と停泊していた。

長さは三十間ちかくあり、船尾に二層の高楼をそなえている。船側には大砲を打ち出すための砲門がずらりと並んでいた。

これがガレオン船である。

日本の帆船は追い風でしか進めないが、この船はいくつもの帆をたくみに操って逆風でも進む

ことができる。また船板を縦に張ることによって、衝撃に強く積載量の大きな船体を作ることに成功している。

ポルトガルやスペインが七つの海を自在に航海し、世界にまたがる植民地帝国をきずくことができたのは、このガレオン船があったからだった。

そうした事情を信春は知らない。だが学問所で先学の教えを受けている久蔵は、

「父上、あれです。ポルトガル人はあの船で地球を一周するのです」

ガレオン船を指さして伝教にかかった。

「一周するのに、いったいどれくらいかかるのだ」

「普通は二年だと聞きました」

「その間、ずっと船の中か」

「各地の港に立ち寄って、食糧や水を補給しながら回るそうです。アルメイダ先生も、そうやって日本に来られたのでしょうね」

「二年か……」

それだけの時間をかけ遭難の危険をおかして世界の海に乗り出していくポルトガル人の活力に、信春は改めて感心した。

アルメイダも日本に来て二十七年になるという。故郷に帰りたくはないのか。親戚や知人に会いたいとは思わないのだろうか。いったいどんな信念が、そうした生き方を支えているのだろう。

信春は沖に浮かぶガレオン船をながめながら、彼らの生き方に比べれば自分の苦難などは小さ

なものだと、しばし来し方に思いを馳せた。

都でようやくつかんだ平穏な暮らしは、信長の上京焼討ちによって奪い去られた。本法寺も焼き払われ、身を寄せる場所もなくなった。

信春らはしばらく大徳寺に住まわせてもらい、雨露をしのいでいたが、その間にも天下の情勢は激変していった。

四月十二日、反信長勢の頼みの綱だった武田信玄が病没した。行年《ぎようねん》五十三歳。

七月十八日、宇治の槙島《まきしま》城で挙兵した足利義昭が追放され、足利幕府は事実上滅亡することになった。

七月二十八日、信長は村井貞勝を京都所司代《しよしだい》に任じて洛中の支配にあたらせ、朝廷に奏請して天正《てんしよう》と改元させた。

八月八日、信長は五万の軍勢で小谷城を攻め、十三日には救援に駆けつけた朝倉義景の軍勢を撃退して三千余人を討ち取った。

八月二十日、義景が自刃《じじん》して朝倉家が滅亡。

八月二十八日、浅井長政が自刃し、小谷城が落城。

これで信長は四年間つづいた浅井・朝倉との戦いに決着をつけた。

こうなると信長軍からにらまれている信春は洛中にはいられない。大徳寺に迷惑をかけるわけにはいかないので、丹波黒井城の赤井直正を頼ることにした。

折しも黒井城には、洛中の戦乱から逃れてきた近衛前久が身を寄せていた。妹が直正の妻になっているので、嗣子《しし》信尹《のぶただ》らをつれて仮寓《かぐう》していたのである。

直正は丹波の赤鬼と恐れられた猛将で、八上城《やがみじょう》の波多野《はたの》氏と協力して、信長軍の侵攻を頑強に拒み抜いていた。

そこで信春も妻子とともに城下に住み、前久の薫陶を受けながら絵の修行をつづけることができた。

ところが天正三年（一五七五）になると、信長は明智光秀を丹波攻略の主将に任じ、徐々に圧力を強めてきた。

その一方で朝廷を動かし、前久を京都に呼び戻す工作をつづけた。

信長は二条晴良《はれよし》を関白にして朝廷の実権を掌握しようとしたが、晴良では力不足だと思ったらしい。前久が敵対勢力の頭目だと知りつつ（頭目だからこそ）、都に呼び戻して新政権のために尽力させようとした。

前久もこれに応じ、天正三年六月に上洛した。もはや軍事力では対抗できないので、信長の内懐に飛び込んで政治的に牽制《けんせい》するしかないと思ったのだった。

時に前久四十歳。

これから本能寺の変までの七年間、信長政権の中枢にあって重要な仕事をこなしていく。薩摩の島津家におもむいて信長への服属を勧めたり、石山本願寺との和睦を仲介したのは、その一例である。

前久は有職故実《ゆうそくこじつ》や文化、芸能、鷹狩りなどにも精通している。信長はその尋常ならざる才能に敬服し、二つ歳下の彼を莫逆《ばくぎやく》の友のように厚遇するようになった。

前久にとって、これは次の布石を打つために必要な転身だったが、前久に去られた黒井城は信長軍の猛攻にさらされることになった。

天正三年十月、光秀は二万余の軍勢をひきいて丹波に攻め込み、丹波の国人衆を身方につけて黒井城を包囲した。

信春は合戦が始まる前に妻子をつれて丹後に逃れ、日蓮宗の寺を転々としながら七尾に帰る機会をうかがった。

このまま見知らぬ土地で動乱にさらされるより、故郷に帰って生活の目途を立てたいと思ったのだった。

ところが越中や能登には越後の上杉謙信が侵攻を開始し、羽咋《はくい》へ向かう船便を見つけるのは容易ではなかった。

そうこうしているうちに天正五年（一五七七）九月になり、七尾城が上杉軍に攻め落とされた。畠山義続、義綱父子が追放された後も、名目的にはつづいていた畠山家が完全に滅びたのである。

これで行く当てがなくなり途方にくれている時に、日通から妙国寺に来ないかという誘いがあった。

そこで明智勢との合戦がつづく丹波を抜けて、堺にたどり着いたのだった。

「父上、ほら」

久蔵が大きな声を上げて港の口を指さした。

西洋式の小舟が港を出て、沖に錨をおろしたガレオン船に向かっていく。六人の水夫が左右に分れて艪《ろ》をこぎ、十人ばかりの客が乗っていた。

ポルトガル人だけでなく、黒い肌をしたマレー人、ターバンを巻いたインド人もいる。だが久蔵が目を引かれたのは、人間たちではなかった。

「舳先に二匹、犬のようなものが乗っているでしょう。ほら、頭だけ出して」

たしかに栗色と茶色の二頭が船縁に前足をかけ、あたりの景色をながめていた。

毛がふさふさと長く、耳が後ろに向かって立ち、顔は狼のように細い。西洋種のコリーだが、初めて見る久蔵には犬のようなものとしか見えなかったのである。

「本当だ。まだ子犬のようだな」

信春はほとんど無意識に太股の上で指を動かし、姿を写し取っていた。

久蔵もそれを真似て掌に指を走らせ、コリーの姿を覚え込もうとした。

「おい、船尾にもう一匹いるぞ」

伏せていたのが起き上がったらしく、半分ほど体が見えた。白と黒がまざった大型の犬で、首の下に長い毛が渦を巻いていた。

これはサルーキと呼ばれる猟犬で、数千年前から人間と生活を共にしてきた。聖書にも何度も登場する神聖な犬で、宣教師たちが好んで連れ歩いているのだった。

「父上、いつかあの船に乗って世界を回ってみたいですね」

「そうだな。お前が大人になった頃には、そういう時代が来るかもしれんぞ」

その時は西洋の絵師にも会ってみたいと、二人は未来に思いを馳せながら西洋犬の姿を追いつづけた。

常緑坊にもどると、久蔵はアルメイダの病院に行っても大丈夫だと、静子に熱心に説いた。

「診察はモニカという日比屋の娘さんがして下さるそうです。宣教師の先生はもうすぐ豊後にもどられるので、なるべく早く来てほしいと言っておられました」

「そのモニカという方は、キリシタンになられたのですか」

能登の風土で生まれ育った静子は、新しいものに対してきわめて慎重だった。

「アルメイダ先生の人柄に感激して、医師になる決心をなされたそうです。帰りに金平糖という甘いお菓子をくださいました」

静子のために買って帰ろうと二人で店をさがしたが、どこにも売っていなかった。

そこで久蔵は、このお菓子がどんなに不思議な形をしてどれほど美味《おいし》かったか、絵を描いて伝えようとした。

「陶器のように白くて、丸い形をして、表面にぴっしりとツブツブがついているのです。大きさは小指の先くらいですが、びっくりするくらい甘いのです。母さまが食べられたら、甘すぎて目を回しますよ」

久蔵は静子の不安をよく分っている。何とか説き伏せて病院につれて行こうと懸命だった。

この熱意に静子もほだされ、数日後にアルメイダの病院をたずねた。

診察の結果、肺炎だと分った。風邪の病状が肺にまで及んだらしい。薬を飲み、栄養をとり、体を冷さないことが大事だと言われた。

「胸が痛んだり咳が止まらない時は、いつでも来て下さい。ここにいない時は、日比屋をたずねていただいて構いません」

モニカ春子は親身になって相談にのり、帰りには久蔵に金平糖をひと粒わたした。

どうやら子供だけに与えているらしい。久蔵は病院を出てからそれを静子の手にそっと握らせた。

「これは勇気を出したご褒美です。早く元気になって父上を助けてあげて下さい」

「子供のくせに、生意気言うな」

信春は久蔵の気遣いが嬉しくて、久々にタカタカボンボをしてやろうと言った。

「それなら母さまを背負って下さい。無理をなされてはいけないのですから」

久蔵は先に帰ると、夕暮れの大通りを駆けていった。


四月八日の花祭りに、日禛上人と日通が京都からつれ立ってやって来た。

日通は二十九歳になる。本圀寺で修行をつみ、いつでも大寺の住職になれる力量を身につけていた。

「今日からこちらで修行することになりました。よろしくお願いいたします」

常緑坊をたずね、手みやげだと紙の包みを差し出した。朝鮮人参を乾燥させたものだった。

「これを煎じて飲むと、万病に効くそうです」

静子が病気だと聞いて、わざわざ買ってきてくれたのだった。

「高価な品を、かたじけのうございます」

信春は有難くいただき、近頃はだいぶん具合が良くなったと言った。

アルメイダの薬が効いたのか、気候が良くなったのが幸いしたのか、咳もおさまっているし起きて家事ができるほどに回復していた。

「そうですか。それは良かった」

日通は身内のことのように喜び、信春の仕事のことに話題を向けた。

「上人さまのご尊像が、なかなか進まないそうですね」

「行き詰っています。日珖さまから、今日の講話を聞いて考え直せと叱られました」

「下絵を拝見できますか」

「木筆で描いたばかりなので、人様に見ていただくようなものではありません」

「だから見たいのです。どんな風に苦しんでおられるか教えて下さい」

日通に曇りのない目で迫られ、信春は仕方なく下絵を取り出した。静子の病状が良くなってから、線の力がもどっている。だが日禛の内面までは筆が及んでいなかった。

日通はじっと絵を見つめていたが、うむとひとつうなずいてから、

「なるほど。日珖さまは良い助言をして下さいましたね」

今日の講話を楽しみにしていて下さいと言って本堂にもどっていった。

日讃の講話は申の刻から始まった。

本堂には五百人ばかりが集まり、隙間もないほど身を寄せあって座っている。中に入れないものは廻り縁に座り、そこにも収まりきれずに境内に立ったままの者も大勢いた。

戦国時代の後期になって、宗教に対する庶民の関心はおどろくほど高くなっていた。

理由のひとつは、明日をも知れぬ混乱の時代だけに、誰もが宗教の絶対性に心の平安を求めるようになったことだ。

理由のその二は、経済成長によって豊かになった庶民が、宗派ごとに団結するようになったことである。

中小の商工業者は現世利益《げんせりやく》を説く日蓮宗の、流通業者や非農業民の多くは一向宗（浄土真宗）の門徒となり、生活や職業の上でも相互扶助的な教団組織を作り上げた。

理由のその三は、フランシスコ・ザビエルの来日以来、宣教師が続々と日本を訪れ、キリスト教の布教をするようになったことだ。

死の危険をおかして長い航海に耐え、信者を求めて献身的な活動をつづける彼らの姿は、宗教の持つ力の大きさを改めて日本人に思い起こさせたのである。

こうした事情があいまって、世上では宗教熱が高まっている。中でも日蓮宗、一向宗、キリスト教、そしてすべては天の計らいだとする天道《てんどう》思想を信奉する者が多く、寄るとさわるとどの宗派が正しいかという議論になる。

それゆえ他の門徒に負けまいと、おのずと教学の勉強に熱心になる。日禛の講話に多くの門徒が集まったのは、そうした事情があるのだった。

信春も静子と久蔵をつれ、本堂の前の方に席を占めていた。講話をよく聞くように、日珖上人がわざわざ手配してくれたのである。

その厚意に答えるためにも一言も聞きもらすまいと、気を張りつめていた。

「父上、顔が恐いですよ」

久蔵が後ろに回って肩をもんだ。信春が日禛像を描けずに苦しんでいることを知っているので、子供ながら気をつかっているのだった。

静子は片手に数珠を持ち、日禛が現れるのを待っていた。

四月八日の花祭りは、奇しくも父母の九回忌である。そのことを信春には告げず、この講話を供養の場にしようとしていた。

信春はそれを見て取り、

「きっとお二人とも見守っておられる。力を貸して下さるはずだ」

久蔵を膝に抱いて間を広く開けた。

こんなことをするのは久々だが、病み上がりの静子に窮屈な姿勢で講話を聞かせるわけにはいかなかった。

日禛は白小袖の上に黒い法衣をまとった清楚な姿で登場した。

下ぶくれのおだやかな顔立ちをした若者だが、一途に仏道に打ち込む気迫と気高さをそなえて

いる。皆の前に立ったただけで、ざわついていた本堂が静かになっていった。

「皆さま、今日はお参りいただきありがとうございます。本圀寺第十六世の日禛と申します。ご覧のような弱輩ですが、日珖上人さまのご厚意により、話をさせていただくことになりました」

どうかよろしくお願いいしますと、合掌して頭を下げた。

自分を誇らぬ謙虚な話しぶりである。声はやや低いが、芯が太く丸みがあって、普通に話していても本堂全体にひびき渡った。

「今日は釈迦牟尼《しやかむに》さまがお生まれになった日であります。釈迦とは天竺《てんじく》の種族の名、牟尼とは聖者という意味で、俗名をゴータマ・シッダールタとおおせられます。天竺の北部にある王国の王子さまでしたが、二十九歳の時に人は生老病死の苦から解き放たれなければ救われないと発心《ほっしん》なされ、出家して修行に入られました。そうして厳しく過酷な修行の後に、ブッダガヤという町の菩提樹の下で悟りをお開きになりました。ご覧のように私はまだ悟りを開いているわけではありませんが、今日はこの故事にちなみ、仏門を志して家を出たいきさつを語らせていただきます」

よろしいでしょうかと問うように、日禛は本堂に集まった門徒たちを見回した。

「私は広橋家という公家に生まれ、幼い頃から和歌の道に進みたいと思っておりました。どうしてそうなったか分りません。物心ついた頃から歌が上手とほめそやされ、もっといい歌を詠んでみんなに認めてもらおうとしているうちに、愉しさや難しさ、奥深さが分って、知らないうちに虜《とりこ》になっていたのだと思います」

日禛は幼名を鶴寿麻呂《かくじゆまろ》という。広橋家は鎌倉時代の初めに藤原北家の日野頼資《ひのよりすけ》が起こした日野

流の流れで、文学を家業とする家柄だった。

ところが室町時代になって足利将軍家に娘を嫁がせることが重なり、外戚《がいせき》としての地位をきずいていく。それにつれて政治的な発言力も大きくなり、朝廷と武家の間の取り次ぎ役である武家《ぶけ》伝奏《てんそう》をつとめるようになった。

日禛の祖父兼秀《かねひで》は内大臣、父国光と長兄の輝資《てるすけ》は権大納言まで栄進しているし、次兄の広橋兼《かね》勝《かつ》は、やがて武家伝奏として信長、秀吉、家康との交渉にあたるようになる。

いわば政治の家と化していたわけだが、日禛だけは歌人をめざして勉学に打ち込んでいた。

「ところが十二、三歳になると、二つの大きな問題に行き当たりました。ひとつは公家社会の伝統と因習、制度そのものが持つ欠陥によるものです。こんなことを申し上げれば、お世話になった親や師を誹謗《ひぼう》するようで心苦しいのですが、発心のきっかけを知っていただくためにも、その頃の私が公家社会に対して感じていた憤《いきどお》りを正直にお話し申し上げたいと思います」

日禛はしばらく間をおき、あれは人を封じ込めるための檻《おり》だと言った。

公的には朝廷の官職、私的には家格の序列があり、表と裏からがんじがらめに縛られている。どの家に生まれたかによって、どの官職まで昇進できるか定まっているので、自由に生きることなど望むべくもない。

公家社会の家格の序列は、天孫降臨《てんそんこうりん》の時に祖神がどれだけの役割をはたしたかということで定まっていて、その地位は未来永劫《えいごう》ゆるがない。

今では証明することが不可能なことを根拠に、人を従わせようとするのである。

「そのような因習は和歌の世界にもありました。古今伝授《こきんでんじゅ》と呼ばれるものがそうです」

古今伝授とは『古今和歌集』の解釈について記したもので、一子相伝、門外不出の秘伝とされてきた。

最後の奥義は口伝なので、伝授を受けた者にしか分からない。外からでは内容をうかがい知ることも、正統の是非を検証することもできないが、伝授を受けたことが一流の歌人の証拠だと見なされるようになった。

「私は伝授を受けておりませんので、内容については分りません。しかしこのようなものがあるために、和歌の世界がどれほどねじ曲げられているかについてはよく分っています。伝授を受けた歌人やその弟子たちは、古今伝授を最高の権威とすることで自分たちの立場の正統を主張し、後につづく者を支配しようとします。将来伝授を受けたいのなら、我々の言う通りにしろというわけです。それは歌学の勉強ばかりか、師匠や先輩への礼儀作法、盆暮《ぼんくれ》の付け届けにまでおよぶのです。しかし皆さん、この有難い秘伝を受けた方の歌がすぐれているかといえば、決してそうではないのです」

日禛がそう言うと、場内は爆笑の渦につつまれた。

そうだそうだ。そのような茶番は、我々の回りにも山ほどある。そんな共感のこもったはじけるような笑いだった。

「こんなに姑息な社会で、これほど実のない教えを受けて歌人になることに、いったいどれほどの意味があるだろうか。そう思い始めたことが、私が直面した最初の問題でした。しかし実は、

こんなことよりもっと大きな問題が行く手に立ちはだかっていたのです。それは私に歌人としての本当の才能がないということでした」

この厳しい言葉に、本堂は再び静まり返った。

信春も身につまされる思いで耳を傾けている。久蔵も信春の膝の上で身じろぎもせずに日禛を見つめていた。

「わが国最高の歌書である『古今和歌集』の序文には、次のように記されています」

日禛はしばらく呼吸をととのえてから、序文を苦もなくそらんじた。

「やまと歌は、人の心を種として、万《よろず》の言の葉とぞ成れりける。世の中に在る人、事《こと》、業《わざ》、繁《しげ》きものなれば、心に思う事を、見るもの、聞くものに付けて、言い出せるなり。花に鳴く鶯《うぐいす》、水に住む蛙《かわず》の声を聞けば、生きとし生けるもの、いずれか、歌を詠《よ》まざりける。力をも入れずして、天地《あめつち》を動かし、目に見えぬ鬼神《おにがみ》をもあわれと思わせ、男女《おとこおんな》の仲をも和らげ、猛き武人《もののふ》の心をも慰むるは、歌なり」

日禛の言葉は謡《うた》いのようだった。強弱といい拍子の取り方といい、美しい調《しらべ》となって胸にしみ込んでいった。

「皆さんはこの序文をどのように聞かれたでしょうか。生きとし生けるもの、いずれか歌を詠まざりける、という意味は分ります。歌には、目に見えぬ鬼神をもあわれと思わせ、男女の仲をも和らげ、猛き武人の心をも慰める力がある。それもその通りでしょう。しかし、力をも入れずして天地を動かす、とはいったいどういうことでしょうか。わずか三十一文字の歌に、そんな力が

本当にあるのでしょうか。そしてどうしたら、そのような歌を詠めるようになるのでしょうか」

十四歳になった頃、日禛はこの巨大な疑問に行き当たった。

自分にはそんな力などない。どうしたら詠めるようになるかも分らない。それはつまり歌を詠む資格も才能もないということだ。

日禛は闇の中に投げ出されたような絶望にとらわれ、歌学の家である冷泉《れいぜい》家や三条西家の門を叩いた。

古今伝授の奥義には、この疑問に対する答えが書いてあるにちがいない。伝授を相伝してきた両家の当主は、それを知っているはずだ。そう思ったのである。

ところが両家とも、まともに相手してくれなかった。取るに足らない若造だと思ったからではなく、歌にそんな力があるとは初めから信じていなかった。

「阿呆なことお言いな。歌で天地が動かせますかいな」

「そやそや。あれは紀貫之《きのつらゆき》はんの言葉の綾《あや》ですがな」

口にこそ出さないものの、そう思っていることは明らかだった。

「しかし皆さん。私はこの序文を初めて読んだ時から、歌にはそんな力があると直感的に感じていました。紀貫之は自分の体験をもとに確信をもってこれを書いたのだと、信じて疑いませんでした。ところがいくら歌に打ち込んでも、どうしても天地を動かす歌が詠めません。私は深く絶望し、自分を許せなくなりました」

日禛の言葉は、信春の肺腑《はいふ》をえぐった。体がぴくりと震え、久蔵を抱いた腕に思わず力が入っ

たほどだった。

信春にもまったく同じ経験がある。やはり十四歳の時のことだ。絵仏師をめざして修行に打ち込んでいたものの、どうしても仏の顔が描けなかった。師匠の宗清や先達の絵を真似てみても、似て非なるものしか出来なかった。

上手に描こうという意識が先走って、仏の顔に魂が入らないのである。

「焦らなくていい。無心になれば仏さまが手を貸して下さる」

宗清は庇ってくれたが、信春は何としてでもいい絵を描こうと、仏をねじ伏せんばかりの勢いで修行をつづけた。

そうして完全に行き詰ったのである。画帳を前にすると頭痛と吐き気がする。筆を持っても腕に力が入らない。満身の力を込めて線を引こうとしても、腕が石になったように動かなかった。

信春は絶望に打ちのめされ、日禛と同じように自分を許せなくなった。

「戦場では弱い兵から死ぬ。生き延びたければ強くなれ」

幼い頃から実の父や兄にそう教えられ、武術を叩き込まれたものだが、自分は絵師の世界では弱い兵だと思い知った。

ならば自決するしかないと、夕方家を抜け出した。七尾湾が一望に見渡せる景勝の岩場がある。時々絵を描きに来たなじみ深い場所である。

ここから海に飛び込んで、一切にけりをつけようと思った。

ちょうど海が残照に赤く染っていた。もう一歩踏み出せば楽になれると思ったが、今度は足が

動かなかった。恐怖に体がすくんだわけではない。見えない手に抱き止められたように、身動きできなかった。

信春は岩の上にへたり込み、暮れてゆく海をながめた。松が黒い影となって砂浜ぞいに悄然《しょうぜん》と並び、この世の戦いに敗れた弱い兵たちのように見えた。

日が暮れたが、今さら長谷川家にもどることは出来なかった。奥村家にはなおさらもどれない。途方にくれながら、空腹ばかりがつのっていった。

思えば朝から何も食べていない。死ぬ気がなくなった途端、育ちざかりの体は切々と空腹を訴えはじめたのだった。

夜は次第にふけていく。あいにく空は厚い雲におおわれ、あたりは漆黒の闇である。

岩場に波が打ち寄せるたびに、足許が揺れるような気がする。背後の山からは時折獣のうなり声や、梢《こずえ》をゆらして飛び立つ鳥の羽音が聞こえてくる。

信春は次第に心細くなった。だが灯りがないので動くこともできない。さっきまでとは打って変って、足をすべらせて落ちるのが怖くなった。

仕方なく膝頭を抱いて座ったまま、夜が明けるのを待った。空腹と己れの愚かさに打ちのめされ、うなだれたままじっとしていた。

その時、灯りを持って近付いて来る者がいた。静子が下女をつれて捜しに来たのである。

宗清たちも手分けして捜しに出たが、静子は信春がここに絵を描きに来ていたことを知っていて、下女に頼んで同行してもらったのだった。

「おなか空いたでしょ。これ」

何も聞かずに竹の皮に包んだおにぎりを差し出した。まだ七つか八つの娘が、母親のようにやさしい気遣いをしてくれた。

信春はぬくみの残るおにぎりを頬張りながら、声を押し殺して泣いた。

泣きながらおにぎりをむさぼり喰って、食べ終った時には気がすんでいた。胸の中でふくれ上がっていた、描けない辛さや自分への怒りが、いつの間にか消え失せていた。

その夜は下女の家に泊り、翌日宗清にわびを入れた。宗清は何事もなかったように迎え、「絵師の面構《つらがま》えになってきた」と誉めてくれた。

信春はその言葉に背中を押され、仕事場に入って仏の顔に取り組んだ。すると何の気負いもなくすんなりと描けた。描くというより、仏が身の内から出てくる感じだった。

しかも顔立ちが静子にそっくりだった。

意図したわけでもないのに、自然とそんな風になる。そのことに抵抗を感じることもなく、これが自分の仏様だと思った。

以来、信春は同じ仏を描きつづけている。如来も天女も鬼子母神もみんな同じ顔になってしまうが、それでは駄目だと思ったことは一度もなかった。

信春がそんな回想にとらわれている間にも、日禛の講話は進んでいた。

自分に歌の才能がないと絶望した彼は、信春と同じように死ぬしかないと思ったという。

「あれから四年しかたっていないので、こんなことを言うのはおこがましいのですが、まだ子供

だったのでしょうね。どうせ死ぬなら思いの丈をとげて、誰からも一目置かれる死に様をしてやろうと思いました。天地を動かすこともできないくせに、まともな歌人のように振る舞っている冷泉家や三条西家の当主たちに、思い知らせてやろうという反骨心があったのかもしれません」

そこで日禛は吉野に向かうことにした。

時あたかも春である。古くから歌所《うたどころ》として知られる吉野で、後醍醐天皇の墓所にもうで、西行法師の足跡をたずね、花ざかりの桜を愛でて辞世百首を詠む。

その歌を金峯山寺《きんぷせんじ》に奉納した後、熊野奥駆けの道をたどって西の覗《のぞ》きに行く。

ここは大峯山《おおみねさん》の山頂ちかくに切り立つ崖である。吉野から熊野に向かう行者たちが、西の覗きで新入りを逆さ吊りにし、煩悩を捨て去るように強要することで知られている。

高さは優に数百丈。

目もくらむほどだと都では評判で、ここから飛んだものはそのまま西方《さいほう》浄土に行けると信じられていた。

そこで日禛はここから飛び下りて、ままならぬ穢土《えど》と決別しようとしたのだった。

「私は一人で吉野山に入り、辞世百首も予定通り金峯山寺に奉納しました。そして吉野の上千本《かみせんぼん》に行き、土地の人に大峯山の山頂までどれくらいかかるかたずねました。すると男の足なら二時《ふたとき》もあれば大丈夫だと教えてくれたのです」

行者たちが踏み固めているので、道に迷うこともないという。

日禛はその言葉を信じて山頂を目ざしたが、間には四寸岩山《よんすんいわやま》や大天井《おおてんじょう》ヶ岳《がたけ》がそびえていて、

行けども行けども大峯山の姿さえ見えなかった。

夕方には西の覗きに着けるはずが、あたりが暗くなってもどことも知れぬ山の中である。急がなければと気はあせるが、山道は険しく足は次第に動かなくなっていく。

忍び寄る闇があたりをおおい、正しい道を歩いているかどうかも分らない。

このままでは獣に食い殺されるのではないかと、生きた心地もないまま歩きつづけていると、遠くにぽつりと灯りが見えた。

「やれ嬉しや、これで助かったと思って灯りのもとをたずねると、一軒の宿坊がありました。大峯山詣《もう》でをする人々のための宿泊所で、二十人ばかりの先客がありました。夕餉の粥をいただき、くたびれはてて横になっていますと、初老の僧が灯りのもとで法話を始めました。皆がごろ寝をしている大広間の片隅で、聞くともなしに聞いていると、話が言葉のことに及びました。そうして『心に分別して思い言い顕《あらわ》す言語なれば、心の外には分別も無分別もなし』と説かれる声が、はっきりと聞こえたのです」

日禛ははっと胸を衝かれ、疲れも眠気も吹き飛ぶ思いで次の言葉を待ち受けた。

すると初老の僧は次のように語ったのである。

「言葉というは心の思いを響かして声を顕《あらわ》すをいう。凡夫は我が心に迷うて知りも覚りもしないが、仏はこれを悟り顕わして神通《じんずう》と名付けておられる。神通というものは、魂の一切の法に通じてさわりのないものじゃ。この自在の神通は一切の有情の心のことで、すべての心の動きは悟りに通じておる。この心の一法により国土世間も出来《しゅったい》すると、御仏は説いておられる」

日禛は思わず身を起こした。これこそ「力をも入れずして天地を動かす」という言葉の謎を解く鍵だと思った。

皆は床に横になったままで、聞いているのか眠っているのか分らない。

初老の僧はそんなことには構わず、灯明皿を手にして語りつづけた。

「衆生《しゆじよう》は本覚《ほんがく》の十如是《じゆうによぜ》なりといえども、一念の無明《むみよう》眠りのごとく心をおおい、生死の夢に入って本覚の理《ことわり》を忘れ、過去、現在、未来の三世の虚夢を見るなり」

日禛はもっとよく話を聞こうと、横になっている人々の間をはって近付いた。

するとゆらめく灯りに顔を照らされた初老の僧が、何か迷っておられるようじゃなとたずねた。

「力をも入れずして天地を動かす力が、和歌に、いえ、言葉にあるのでしょうか」

「ある。心と天地はもともとひとつのものじゃ。心が正しく動けば天地も動く」

「そのような悟りに、どうしたら達することができるのでしょうか」

「御仏の教えに身をゆだねよ。法華経を杖とも柱とも頼むがよい」

日禛はその言葉に満足して眠りについた。

ところが翌朝同宿の者にたずねても、そのような僧を見た者も法話を聞いた者もいなかった。

そんな馬鹿なと思って大広間を見渡すと、僧が座っていた位置に小さな須弥壇《しゆみだん》があり、役行者《えんのぎようじや》の木像がまつってあった。

その顔が、昨夜見た初老の僧にそっくりだった。

「私は夢を見ていたのかもしれません。しかし、悟りに至る手がかりを与えて下さったのですか

ら、ただの夢として捨て去ることはできませんでした。西の覗きから飛び下りることはやめ、辞世百首も返してもらって都に帰り、父に法華経を学ぶにはどうすればいいかとたずねました。すると父は、叔父が本圀寺の住職をしていると言ったのです」

第十五世日栖《にっせい》上人がその人である。日禛はさっそく日栖をたずね、大峯山での一部始終を語った。

すると日栖は、

「それは御仏の示現《じげん》である」

そう言ってさっそく仏門に入るように勧めた。

「如来は夢中の語をもって夢中の衆生を誘い、漸々《ぜんぜん》に誘引したまうと、日蓮上人も説いておられる。お前が本当にその境地に至りたいなら、出家する以外に方法はない」

即時の発心を迫られた日禛には、もうひとつだけ気がかりなことがあった。

普遍的な真理を求める僧は、天照大神《あまてらすおおみかみ》や帝についてどう考えているかということである。

「私は公家の誰もが天照大神を絶対神とあがめ、帝に忠誠を誓うことを大義名分として、人を檻に閉じ込める社会を作っているのを見てきました。それゆえ仏門にまでそういうやり方が及んでいるなら、出家するわけにはいかないと思ったのです。すると日栖さまは事もなげに、天照大神はこの国を司《つかさど》っておられるが、梵天、帝釈、日月、四天にくらべれば小神であるとおおせられたのです」

法華経の広大無辺な宇宙観からすればそれは当然のことだろうが、日禛はこれほど明確な言葉

を初めて聞き、その日から日栖の弟子になったのだった。

「以上が私の発心のいきさつです。それからまだ四年しかたっていないので未熟なことばかりですが、歌ではなく信心によって天地が動かせるよう、精進をつづけてまいるつもりです」

講話が終っても、本堂は静まったままだった。日禛の真心あふれる話しぶりと求道心の強さに皆が感銘を受け、しばらく余韻にひたっていた。

静子も放心したように動かなかった。数珠を握りしめ、病気のことも世事の苦労も忘れたおだやかな顔をしていた。

「大丈夫か。座ったままで疲れただろう」

「何ともありません。お陰さまで、いい供養になりました」

「そうだな。私はいまだに養父上《ちち》に顔向けできないが」

「そんなことはありませんよ。絵師の面構えになったと、喜んでくれているはずです」

「そうか。お前もあの時のことを思い出したか」

「ええ。暗い夜道でずいぶん怖い思いをしましたから。お上人さまが奥駆けの道を行かれた話を聞いて、昨日のことのように思い出しました」

「あの時のにぎり飯はうまかった。あれからもう……」

「二十七年です。本当にあっという間。夢のように過ぎましたね」

静子がかすかに顔を赤らめ、華やいだ笑みを浮かべた。

信春のことが心配で、怖さも恥かしさも忘れて夜の道を駆けた。その時の気持を思い出したの

である。

「それはいつの事ですか」

二人だけでずるいと言いたげに、久蔵が話に割り込んだ。

「私が十四の頃だ。お上人さまと同じように、絵に行き詰って死のうと思ったことがある」

信春は手短にいきさつを語った。

久蔵の将来のためにも、絵に取り組む心構えを教えておいた方がいいと思った。

「ふうん。お上人さまは役行者に救われたのに、父上は母《かか》さまに救われたわけか」

「まあ、そういうことだ。それ以来、御仏の顔が描けるようになったのだからな」

「ところで、お上人さまのご尊像は描けそうですか」

久蔵は親をからかっている。いつの間にかそんな歳になっていた。

「ああ、描けるとも。お上人さまのお心がしっかりと分ったからな」

「じゃあ明日から頑張って下さいよ。いつまでも描けないと、このお寺においてもらえなくなりますから」

久蔵は先に常緑坊に帰っていった。しばらく二人きりにしようという老成《ませ》た配慮だった。

翌日から信春は日禛の尊像にとりかかった。

描くべきは正義や真理、理想を追い求める日禛の一途さである。それが求道心となって法華経へ向かっていく瞬間の気迫をとらえなければならない。

信春は講話を聞いている間につかんだ構想をもとに、下絵の筆を走らせた。顔立ちはまだ若い。童子のような丸みを残している。しかし飛びぬけて聡明で、気品に満ちている。

（この人はやがて悟りに達し、大輪の花を咲かせるだろう）

信春は下絵を描きながら予感していた。その予感を見る者に伝えられるように、ひと筆ひと筆いつくしむように描いていった。

珍しいことに、下絵に十日もかかった。

描けないからではなく、描き終えるのが惜しいのである。日禛の求道心と対話しながら尊像を仕上げていく至福の時間を、終らせたくないのだった。

次に彩色にかかった。これは信春の得意とするところである。七年前に日堯上人像に取り組んだ時に天蓋や説法机、卓布などの描き方は身につけている。

今度はもっと鮮やかに描いて、日禛の一途な志を荘厳《しょうごん》することにした。日堯の時には白の法衣にして清廉無垢《せいれんむく》な人柄を表現したが、今度は黄櫨染《こうろぜん》の法衣をまとわせることにした。

黄櫨染の御袍《ごほう》（束帯）は、神聖な儀式の際に天皇がお召しになるものである。

俗界では禁色《きんじき》とされている法衣をまとわせることで、日禛がやがて仏門の世界で最高の地位を占めるようになることを示したかった。

彩色にもたっぷりと時間をかけ、完成したのは五月の初めだった。

毎日うっとうしい雨が降りつづき、絵具が乾きにくくなっている。だがかえって潤いが出て、本人を目の前にするような迫力があった。

「どうだ」

真っ先に静子を呼んで批評を求めた。

「凄いですね。凄いお力です」

静子は絵の前にひざまずいて手を合わせた。

日韻を描かせてもらったおかげで、信春が絵師として数段高い境地に突き抜けたことを見て取ったのである。

ちょうど学問所から帰った久蔵が、静子の後ろで棒立ちになった。しばらく喰い入るように絵を見つめていたが、突然きびすを返して走り去った。

どうしたのだろうと思っていると、日珖上人を引きずるようにして戻ってきた。後ろに日通も従っていた。

「見て下さい。これが父上の絵です」

喜びを爆発させるように叫んだ。

日珖は絵の前に座り、

「ご苦労さまでしたな」

信春より先に静子をねぎらった。

「絵も心の思いを響かせて顕すものですな。相手を好きにならんと、よう響かんようや」

「もしや、あのご講話はお上人さまの計らいによるものでしょうか」

信春はそうたずねた。

「そんな仕掛けでどうにかなるほど、人の心は底の浅いもんとちがう。出会うべき時に出会うたということや」

「それにしても、黄櫨染の法衣とは驚きましたね。後々問題にならないでしょうか」

日通が世俗的な心配をした。

「これは法印叙任の祝いに贈る私的なもんや。遠慮することはあらへん」

何より大切なのは求道心である。この絵は先々まで、日禛にそのことを思い起こさせる縁《よすが》となるだろう。日珖はそう言って日通の懸念を笑い飛ばした。

仏門に入った者は御仏の教えに忠実であるべきで、この世の掟などは二の次である。そうした矜持を日珖も日禛も、そして日蓮宗の門徒の多くが持っている。

それはきわめて正当な心の持ち様だろうが、その激しさゆえに他の宗門や時の権力者と対立することもあるのだった。

尊像の完成を見届けてほっとしたのか、静子の容体が急に悪くなった。以前より重い咳をするようになり、胸の痛みを訴えるようになった。

食欲がなくなり体も再びやせて、顔の色も蠟のように白くなっていく。それでも無理をつづけていたが、黄色味をおびた水のようなものを吐いた日を境に、床を離れることができなくなった。

信春は心配のあまり、うろたえるばかりである。それを見かねた久蔵が、教会の病院からモニカ春子を連れて来た。

モニカは脈をとったり触診をした後、

「長谷川さま、よろしいですか」

信春だけを別室に呼んで病状を告げた。

「奥さまは肺炎になっておられます。風邪の悪気が肺にまでおよび、次第に呼吸《いき》ができなくなる病です」

「どうすれば治るのでしょうか」

「残念ですが、このような病状になられた方の多くは亡くなっておられます。二ヵ月か三ヵ月のお命と思われます」

モニカは病状を正確に伝えることが医者の責任だと考えている。そうした姿勢も、アルメイダから教えられたものだった。

「そんな……、それを何とかするのが、あなた方の仕事ではないのですか」

「申し訳ありません。これまで何人かの患者さんを診てきましたが、どうすることもできませんでした」

信春は棒立ちになり、我知らず後ろをふり返った。ふすまの向こうには静子が横になっている。話が聞こえたのではないかと気が気ではなかった。

「それで、妻はこの先どうなるのでしょうか」

「息が細くなり、食べ物を受けつけなくなります。肌の色が青白くなって、薄茶色の斑点が出てきます。それが染みのように広がり始めたら、最期の日も近いでしょう」

「私は何をすればいいでしょうか。妻を少しでも楽にしてやるためには」

「栄養と休息を充分にとっていただくことです。固い物は喉を通らなくなりますから、薄粥や葛湯のようなものを差し上げて下さい。陽当たりのいい部屋で、体を冷やさないようにすることも大事です」

「他には、他には何かありませんか」

「神さまに祈ることです。御計《みはか》らいに身をゆだね、御許《みもと》に迎えられるように祈って下さい」

「私も静子もキリシタンではありません。法華経を信仰する者です」

「それならそちらの仏さまに祈って下さい。人は誰でも産まれた時から死に向かって生きています。それは神仏のお計らいによるもので、肉体の死によってすべてが終るわけではありません。大切なことは、その理《ことわり》をはっきりと受け止め、御許に旅立つ心を定めることです」

モニカには神に身をゆだねて生きる強い信仰心がある。それゆえ他者の死に対しても冷静に対応できるのだろうが、信春はそれほど冷静に受け止めることはできなかった。

「もうひとつ、おたずねしていいですか」

「どうぞ。ご遠慮なく」

「このことを、静子に伝えた方がいいのでしょうか」

「私なら伝えます。すべては神のお計らいなのですから、我が身に起こったことを正確に知ることが神を理解することにつながるからです。しかし長谷川さまがどうなされるかは、ご自身のお心次第だと思います」

モニカは久蔵に渡してほしいと懐紙に包んだ金平糖を取り出し、往診代も取らずに帰っていっ

た。

信春はそれを懐に入れ、しばらく立ちつくしていた。事態の深刻さに打ちひしがれ、どうしていいか分らない。

ふと気付くと涙が頰を伝い、あごからしたたり落ちていた。信春はそれを手でぬぐい、それだけでは駄目だと水屋に行って顔を洗った。

両手にすくった水を何度も何度も顔に打ちつけ、ひとしきり声を押し殺して泣いてから、静子には伝えるまいと決意した。

生きる希望を殺《そ》ぎたくはない。それにモニカの診立《みた》てが正しいとは限らないのである。最後まで可能性を信じ、静子とともに努力をつづけよう。

信春は気持を鎮めて、己れにそう言い聞かせた。本当のことを告げたなら、静子より先に自分が心の張りを失いそうだった。

信春は強張った表情をほぐしてから、静子の枕辺にもどった。

「やはり湿気がよくないそうだ。梅雨があけた頃には良くなるだろう」

「そうですか。ご迷惑をおかけします」

静子は信春を気遣って笑みを浮かべた。

「栄養と休養を充分にとってな。葛湯がいいと言っておられた」

後の言葉がつづかなくなり、信春は懐の金平糖を久蔵に渡した。

「二つ入っている。ひとつは母さまの分ですね」

久蔵はひとつを口にほうり込み、懐紙を折って静子に渡した。

「ありがとう。本当に甘いお菓子ね」

静子は受け取ったものの口に入れようとはしなかった。

「明日から七尾の景色を描くぞ。三方のふすまを使った山水図だ」

「まあ、そんなご依頼があったのですか」

「油屋さんから頼まれていた。だが、どこを描いていいか分らなくてな。ずいぶん迷ったが、この間の講話を聞いているうちに、あの岩場から見た景色を描けばいいと思ったのだ」

信春は懸命に嘘をついた。

そんな注文など受けていない。静子が内心故郷に帰りたいと願っているので、せめて風景を描いて元気づけてやりたかった。

「あそこの景色は、お前も覚えているだろう」

「ええ。あれから何度もあなたと行きましたからね」

「それなら二人で合作だ。私が忘れているところを思い出してくれ」

翌日から信春は下絵の制作にかかった。

正面に七尾湾が広がり、能登島《のとじま》が横たわっている。四村塚山《よむらづかやま》を中心にして、左右に翼を広げたような形の島である。

東には観音崎までつづく半島が突き出し、富山湾の荒波を防ぐ自然の防波堤となっている。半島と能登島の間には小口瀬戸があり、富山湾への出入口となっている。

西に目を向ければ、七尾側から突き出した屏風岬と能登島の屏風崎が、くちばしをつつき合うような形で接近している。

七尾をおとずれた文人は、かつてこれを啐啄《そったく》の景《けい》と評したことがある。啐啄同時《どうじ》。雛《ひな》がかえろうとする時、親鳥が外から殻をつついてこれを助ける。この言葉にちなんだものだ。

その狭い瀬戸の奥に、長者ケ鼻と長浦の間に浮かぶ猿島《さるじま》がある。内海である七尾湾のおだやかさを代表する景色である。

信春は静子の枕辺で画帳を開き、ひとつひとつの景色がどう見えたかを確かめながら描いていった。その語らいは二人にとって、故郷に帰ったような浄福《じょうふく》の時である。

静子も数日の間喜んで付き合っていたが、ある時、

「あなた、ありがとう」

ふと涙ぐんでつぶやいた。信春の配慮など、とうに察していたのである。

「礼を言うのはこっちだ。お陰でずいぶん正確に描くことができた」

信春は下絵を仕上げてから、ふすまに写しはじめた。

まず正面の能登島の景に取りかかったが、五月の下旬になって思いもかけない事件が起こった。

それを知らせたのは、懇意にしている日通だった。

「安土城下で宗論《しゅうろん》をめぐる騒動が起こったので、織田信長公から出頭命令が下る。そんな知らせがあったそうでございます」

対応を協議するために、日珖上人が京都の頂妙寺《ちょうみょうじ》へ行く。日通もそれに従って都へ行くこと

になったという。

「騒動とは、どういうことでしょうか」

信長と聞いて、信春は激しい胸騒ぎを覚えた。

「堺の法華宗の者が、浄土宗の法話の席で狼藉を働いたと聞きましたが、詳しいことは分りません。これから出かけますので」

しばしの暇乞《いとまご》いに来たのだった。

信春は久蔵とともに表門まで見送りに出た。噂を聞いて門の内にも外にも大勢の門徒が集まっている。その中を日珖が駕籠《かご》で通り、後ろには日通と学僧日淵《にちえん》が徒歩で従っていた。

少し遅れて廻国《かいこく》修行の聖《ひじり》である普伝《ふでん》が、破れ笠に薄汚れた法衣という姿で歩いている。近頃妙国寺に寄宿し、歯に衣をきせぬ説法で多くの信奉者を集めている老僧だった。

日珖は信春の前を通る時、

「静子さんを大事にな」

わざわざ駕籠をとめて声をかけた。

これが史上に有名な安土宗論のはじまりだった。そのいきさつについては『信長公記』にかなり詳しく記してある。

五月の中頃、関東から来た浄土宗の霊誉玉念《れいよぎょくねん》が法話をしていたところ、堺の建部紹智《たけべしょうち》と大脇《おおわき》伝介《でんすけ》が議論をふっかけた。

すると玉念は「お前たちのような未熟者では相手にならぬから、帰依している僧を呼べ。その

者と宗論をして決着をつける」と答えた。

これを聞いた法華宗側では、京都から日珖、日淵、日諦ら高僧を安土に送り込んで宗論にそなえた。

信長は両派に奉行をつかわし、宗論をやめて和解するように勧めたが、法華宗側が頑として拒んだために、五月二十七日に安土城下の浄土宗浄厳院《じょうごんいん》で宗論がおこなわれた。

その結果法華宗側が負け、建部紹智、大脇伝介、普伝の三人が打ち首。日珖らは「宗論に負けた上は、今後は他宗に対して法難を仕かけない」という証文を書き、かろうじて許された。

そう伝えているが、これは信長側の記録である。

当事者である日淵が記した『安土問答実録』によれば、事件の様相はまったくちがってくる。

以下、その記述に従って事のいきさつをたどってみよう。

五月二十五日の早朝、頂妙寺にいた日珖らのもとに、安土からの使者が来た。

信長の家臣である堀久太郎、菅屋九右衛門、長谷川竹千世を奉行として、安土城下で法華宗と浄土宗の宗論をおこなう。ついては学僧を派遣せよという命令だった。

この日は車軸を流すほどの大雨が降っていたが、日珖ら十数人は巳《み》の刻、午前十時に京都を出発、その日の亥《い》の刻、午後十時頃に安土城下についた。

翌朝、善行院に集まって信長からの沙汰を待っていたところ、奉行衆の使者が来て、

「今度の宗論に負けたなら、京都ならびに信長の御分国《ごぶんこく》（領国）にある寺を破却してもいいと証文を書け。それが出来ないなら、宗論をやめてこのまま京都に帰れ」

そう迫った。

破却の証文など書けば、この先どのように悪用されるか分らない。かといってこのまま京都に帰ったなら、法華宗は怖気づいて逃げ帰ったと評されるにちがいない。

日珖らは事ここに至って、これは信長が仕掛けた罠だと気付いた。おそらく建部らが騒動を起こしたのを好機と見て、一気に日蓮宗の勢力を削ごうとしたのである。

そこで証文の提出は「迷惑である」と言って断わり、帰洛の件については、「我々は信長公のお召しによって安土に参上したのだから、進退についても御意のままだ」と答えた。

帰れと命じられれば帰るし、宗論せよと命じられればこれに従う。そう答えて、逃げ帰ったと評されることをさけようとした。

これに対して奉行衆は日珖らの言い分を認め、その条件で構わないから宗論に応じるように命じた。

かくて五月二十七日の辰の刻、午前八時から宗論がはじまった。

浄厳院の仏殿で日珖、日淵ら四人と、玉念、貞安《ていあん》ら浄土宗側の四人が対峙し、南禅寺の秀長老(景秀鉄叟《けいしゆうてつそう》)と因果居士《いんがこじ》が判定者として立ち会った。

境内には一千人ばかりの兵が警固につき、浄土宗の門徒数千人が集まっていた。日蓮宗の門徒も数百人ほど集まっていたが、劣勢はいなめない。

ここにもすでに、日蓮宗を陥れようとする信長の罠が張りめぐらされていたのだった。

その頃、信春は山水図に没頭していた。

正面の能登島の景を終えて静子の病室にふすまをはめ込み、次は西側の啐啄の景にかかっていた。

くちばしを伸ばしたように寄りそう二つの岬の向こうに、満々と水をたたえた七尾湾が広がり、猿島のところで袋をしばるように再び口を閉ざしている。

中国の名勝地を描いた瀟湘八景図にも劣らぬ見事な景色だった。

信春は静子への思いをこの絵に込めている。

長年連れ添ってくれたことへの感謝、七尾に連れて帰れない申し訳なさ、一日でも長く元気でいてもらいたい願い。そうしたすべてを込めて、気ぜわしく筆を走らせていた。

静子は終日、おだやかな顔をして横になっていた。咳込むこともなくなり、胸の痛みも感じないようで、時折久蔵に上体を起こしてもらって、足場の上で奮闘している信春をじっと見つめている。

その表情は信春が描く鬼子母神そのものである。だが刻々と死期が迫っていることは、胸元に現れた薄茶色の斑点が残酷なほどはっきりと物語っていた。

安土城下での宗論の噂は、日珖の供をした者や堺の商人たちが毎日のように伝えた。

五月二十五日に日珖上人の一行が安土に下ったこと。二十六日に寺の破却を認める証文を書くように奉行衆に迫られたこと。二十七日に宗論に負け、妙国寺にいた普伝が打ち首になったこと。

そうした噂が伝わるたびに、寺の者たちも門徒たちも暗い顔を見合わせた。

日蓮宗は天文五年（一五三六）に起こった天文法華の乱の責任を問われ、十一年間にわたって京都から追放された。その時の悪夢が皆の脳裡によみがえり、再び弾圧を受けるのではないかと恐れおののいていた。

六月一日になって日通がもどって来た。

顔には殴られた傷やあざが生々しく残り、法衣は引き裂かれて血に汚れていた。

「どうなされたのです。そのお姿は」

知らせを聞いて本堂まで出た信春は、あまりの変わり様に息を呑んだ。

「浄厳院で狼藉を受けました。これから皆さんを集めて詳しくお話しいたします」

堺は狭い。妙国寺からの触れが四方に回ると、即座に五百人以上の門徒たちが駆けつけた。中には家財を荷車に積んだ商人や、槍や刀、鉄砲を手に戦仕度をしている武士もいた。

「皆さん、この私の姿を見て下さい」

日通は血に汚れた法衣のまま仁王立ちになった。

「これが宗論の場で起こったことの何よりの証拠です。巷《ちまた》では我らが負けたと噂されていますが、これは仕組まれたことです。日珖さまも日諦さまも立派に論者のつとめをはたされ、宗論に勝たれました。ところが判者である因果居士が、信長公の意を受けて我らの負けにしてしまったのです」

日通はそのいきさつを詳しく語った。

宗論は日蓮宗側が終始優勢だった。中でも日珖の舌鋒は鋭く、浄土宗側の玉念、貞安が返答に

つまる場面が何度もあった。しかし判者の因果居士は、玉念らの負けを宣言するどころか、彼らの側に立って日珖らに反論した。

このことについては後に因果居士自身が、

「是れ（浄土宗側の反論）は一段悪《あし》き答え様なれども、上様より御内證《ないしょう》あるよって、批判せざる也」

自著した記録（『因果居士記録』）にそう記し、信長の指示によって浄土宗を勝たせようとしたことを認めている。

もう一人の判者である南禅寺の秀長老は八十五歳の高齢で、宗論の後で「耳がよく聞こえないので、何を言っているのか分からなかった」と言っている。

彼も信長に因果を含められて判者になったが、後の批判を怖れて聞こえぬふりを決め込んだのである。

こうした状況の中でも日珖らは優勢を保ち、法華の妙《みょう》についての議論で玉念、貞安を圧倒した。それでも因果居士は判定を下さないので、日淵が奉行三人に向かって「両人とも申し詰めて候」と言って勝ちの判定を求めた。

すると玉念は突然立ち上がり「勝った、勝った」と大声で叫んだ。それを合図にしたように、警固の武士たちが鬨《とき》の声をあげて日珖らの袈裟をはぎ取りにかかった。

年若い日淵や日通は抵抗したが、取り巻いた武士たちが宙に差し上げ、境内に運んで浄土宗の見物人の中に投げ入れた。

そのため棒や拳でさんざんに殴られ、頭や顔から出血する大怪我をおったのだった。

「しかし皆さん、本当に恐ろしいことが起こったのはこの後でした。私たちは仏殿の片隅に集められ、日珖さま、日諦さま、日淵さんが信長公の前に引きすえられたのです。後ろ手にねじり上げ、首筋をつかんで顔を床に押し付ける、罪人同然のむごい扱いでした」

信長は床几に座り、冷ややかに三人を見据えていたが、まず大脇伝介を呼んで次のように言った。

「おのれは大俗といい町人といい、塩売りの身として、今度浄土宗の長老の宿をつとめることになった上は、こちらの贔屓《ひいき》をするべきであろうに、人にそそのかされて長老に議論をいどみ、天下の騒動を引き起こした。まことに不届きである」

よって打ち首と言うが早いか、武士たちが伝介を仏殿の下に引きずり下ろし、皆が見ている前で首をはねた。人はこんなにも簡単に殺されるものかと、驚く間もない手際の良さだった。

次に普伝が信長の前につれ出された。

「その方は去年まで何宗でもなく、上の成らるるようになると公言していたと聞いた。惣《そう》じて法華宗は人に物を与えても我宗の門徒にしたがるということだ。世上に名の知れた汝を法華宗にすれば、外聞がいい。そう思う輩に誘いをかけられ、法華宗になったのであろう」

そう決めつけたが、普伝は臆せず反論した。

「この十年以前から、法華経にあらずして仏になる経はないと見定めておりました。しかし所用にまぎれてはたせず、この春から法華宗になったのでございます」

「いやいや。法華経の良き事は、そちが言わずとも俺も知っている。見ればずいぶん年寄りではないか。この先、生き長らえてもたいしたことはあるまい。それ、連れて行け」

号令一下、普伝も仏殿の下に引き下ろされて首をはねられた。

これが見せしめであることは明らかである。意に従わなければ同じ目にあうぞと思い知らせた上で、信長は日珖らに次のように語った。

「その方らの宗旨を誉める者は一人もいない。それは何故かと言えば、人にかかるからである。我が宗ばかり広めていれば悪く言う者はあるまいに、人の事にかかりて言うゆえに人が憎む。なぜ人にかかるかといえば、宗旨を広めようという欲が深いからであろう。しかしかくなる上は、ここで命を捨てるか、宗旨を替えるか、腹をすえて返答せよ」

信長はそう迫ると、後のことを奉行たちに任せて安土城へ引き上げていった。

日珖らは宗旨を替えることはできないと突っぱね、ここで打ち首になっても仕方がないと覚悟を定めていた。

ところが奉行衆は皆でよく相談せよと言い、三畳の部屋に八人を押し込み、数百人の警固の兵をつけて人が近付けないようにした。

そうして夕方になって、宗旨替えについては容赦するので、宗論に負けたことを認めた上で詫び証文を書けと、三ヶ条の起請文の案文を示した。

日珖らはこれにも応じられないと言ったが、奉行衆は「これを拒否したなら、召し捕っている法華宗の門徒二、三百人を皆殺しにする」と強硬に迫った。

追いつめられた日珖らは、案文通りに起請文を書かざるを得なくなった。その内容は次のとおりである。

一、今度江州浄厳院において、浄土宗と宗論つかまつり、法華宗負け申すに付いて、京の坊主普伝幷に塩屋伝介仰付けられ候事。

一、向後他宗に対し、一切法難いたすべからざるの事。

一、法華一分の儀立て置かるべきの旨、かたじけなく存じ奉り候事。法花上人衆一先《ひとまず》牢人仕り、重て召直さるゝの事。

これには宗論にかかわった十三人が血判署名したが、奉行衆はこれだけでは不充分なのでもう一通書けと迫った。

「今度当宗立て置かれるの儀、かたじけなく存じ候。それについて向後他宗に対し法難の儀、いささかもって異議御座あるべからず候。なおもし今より以後、不届きの儀申し出《いず》るにおいては、この一行の旨をもって、当宗ことごとく御成敗なさるべく候。その時御恨み申し上ぐべからず候。この旨御披露に与《あずか》るべく候」

今後不届きのことがあったなら成敗されても構わないし、それを恨みにも思わないと、誓約させられたのである。

こうして生殺与奪の権を握るために、信長は周到な準備をして安土宗論を仕掛けたのだった。

日通は無念の涙を流しながらいきさつを語った上で、この先のことに話を移した。

「私はこの度のことで、権力の恐ろしさや愚かさが骨身にしみて分りました。しかし今は、正面きって安土に逆らうことはできません。そんなことをすれば相手の思う壺です。たとえどのような難題を吹きかけられても、身を低くしてじっと耐えてください」

日通は門徒たちを諭し、安土宗論についても非難がましいことを言わないように念を押した。

「日珖さまや日諦さまは、今も安土城下の桑実寺《くわのみでら》に監禁されておられます。もし洛中や堺で我らが騒動を起こしたなら、今度こそ打ち首にされるでしょう。そのことを肝に銘じて、くれぐれも自重して下さい」

門徒たちが引き上げた後、日通は信春に歩み寄って相談があると言った。

「これから織田の将兵が、土足で寺に踏み込んでくるでしょう。しかし詫び証文を出した以上、我らにこれを拒むことはできません」

だから信春には、しばらく寺を出て身を隠してほしい。このままでは庇いきれないばかりか、信長軍に追われている者をかくまっていた責任を問われ、寺が処罰されることになるという。

「静子が病にふせっています。急に出て行けと言われても」

「静子さんと久蔵は油屋で預かります。決して粗略にはいたしません」

「あと一月ばかりの命なのです。最後まで側にいてやらなければ、亡くなった養父母に申し訳が立ちません」

「お気持は分りますが……」

日通が気の毒そうに口ごもった。

信春を油屋にかくまってくれとは、危険が大きすぎて頼めないのである。

「分りました。静子と相談してみます」

信春はやる方ない思いで常緑坊にもどった。

静子を一人で死なせるくらいなら、いっそ三人で七尾に戻ろう。せめて一目、本物の故郷を見せてやろう。持ち前の反骨心に突き動かされ、そう決意していた。

信春は静子と久蔵にいきさつを語り、それでいいかとたずねた。

「願ってもないことですが、ご迷惑ではありませんか」

静子は足手まといになることを気にしていた。

「私がずっと背負ってやる。どこまでも一緒だと誓っただろう。なあ、久蔵」

「ええ。故郷の空気を吸ったら、母さまも元気になりますよ」

久蔵もどんな手助けでもしようと覚悟を決めていた。

日通にこのことを話すと、油屋の通行手形と路銀をすぐに用意してくれた。

「この手形があれば、琵琶湖を通って敦賀まで行くことができます。関所でも怪しまれることはありません」

「すみません。路銀までいただいて」

革袋に入れた銀の小粒は一貫目ほどの重さがある。親子三人で七尾まで旅をするには充分すぎる額だった。

「あの襖絵を、油屋で買わせていただきます。その手付けだと思って下さい」

事は一刻を争う。信春はすぐに仕度をととのえ、静子を背負って港に行くことにした。

こういう時には大きな体が役に立つ。小柄な静子は、信春の背中にすっぽりとおさまった。

「すみません。最後にもう一度、蘇鉄《そてつ》を拝ませてください」

静子が遠慮がちに頼んだ。

常緑坊の中庭に出ると、樹齢数百年といわれる蘇鉄が勢いのある大きな葉を伸ばしていた。

静子はここでの暮らしを目に焼きつけようとするようにしばらくながめてから、

「ありがとうございました」

万感の思いを込めてつぶやいた。

その日は港の近くの船宿で一泊し、翌朝早く日通が手配してくれた船で大坂に向かった。

大坂で三十石船に乗りかえて淀川をさかのぼり、夕方に伏見に着いた。

「どうだ。辛くはないか」

船宿の部屋に横たえてたずねた。

「何ともありません。堺から伏見まで、たった一日で着くのですね」

「近頃は便利になった。船の便も増えたからな」

「西洋人が地球の裏側からやって来る時代ですからね。七尾なんてあっという間ですよ」

久蔵は静子を元気づけようと事もなげに言った。

翌日は船引きが引く小舟に乗って瀬田川をさかのぼり、途中の難所は徒歩でこえて、琵琶湖の

関ノ津にたどりついた。

三日目の早朝、関ノ津を小舟で出て、大津で湖上を行く大型船に乗りかえた。南蛮渡来の木綿の帆を用いた船で、左右に十挺《ちょう》の艪《ろ》をそなえている。

大津から湖北の塩津まで、風に恵まれれば二日で渡ることができた。

船は湖西にそって北上していく。艪棚に立った二十人の水夫《かこ》たちが、声を合わせて艪をこいでいる。すでに初夏だが、湖上を渡る風はひんやりと心地よかった。

左手には近江坂本の町が広がり、明智光秀がきずいた坂本城が湖上に優雅な姿を見せていた。城内に巨大な船入りを持つ水城だった。

城の背後には比叡山がつらなり、根本中堂や横川中堂のあたりは、信長に焼討ちにあったままの姿で放置されていた。

信春は静子を横に抱いたまま、声もなく比叡山を見つめた。

あれは八年前。

信春が京都をめざして尾根の道を通ってきた時のことだ。信長軍の焼討ちに巻き込まれ、横川の宿坊から根本中堂まで様子を見に行った。

その時には先陣の明智勢が寺に乱入し、放火と殺戮のかぎりをつくしていた。境内に逃げ込んでいた者たちは、我先にと横川に向かって走り出した。

ところが横川の方からも羽柴秀吉勢に追われた者たちが駆けてきて、山上の狭い道で身動きが取れなくなった。そこを狙いすましたように、羽柴勢と明智勢が前後から矢を放ち、鉄砲を撃ち

かけた。

あんな殺戮に手を染めた者は、いったいどうやって自分の心をなだめるのだろう。血に汚れた手で妻をいつくしみ、我子を抱くことができるのだろうか。

(できるはずがあるまい。たとえひと時栄華をきわめたとしても、神仏の教えに背いた者に心の平安はないのだ)

怒りとも憤りともつかない思いが、信春の胸の中でふくれ上がった。

堅田の浮御堂《うきみどう》をすぎると、湖は急に広がっている。海と見まがうばかりの広さだが、湖面はいたっておだやかで波ひとつ立っていなかった。

船は雄松ヶ崎《おまつがさき》をめざして真っ直ぐに進んでいく。左手には比良《ひら》山地の山々が折り重なってつづいていた。

「父上!」

久蔵が手を上げて東を指さした。

織田家の旗をかかげた軍船が、猛烈な速さでこぎ寄せてきた。

何事かと気を張りつめていると、軍船の頭が船の上乗《うわの》り(水先案内人)に向かって大声をあびせた。

「御座船のお通りじゃ。すぐに船を岸に寄せて水路を空けよ」

空気も裂けるような声に、静子が目を覚ました。斑点は胸元からうなじにまで広がっている。

肌は血の気を失い、かすかに異臭がただよっていた。

「どうかしたのですか」

ますます美しく澄んだ瞳で、じっと信春を見つめた。

「何でもない。本覚の理《ことわり》に見放された輩が、三世の虚夢を渡っていくのだ」

しばらく待つと、前後に供の船を従えて巨大な船が現れた。

天正元年（一五七三）に信長が佐和山城下の港で建造したもので、長さは三十間（約五十四メートル）、幅は七間（約十二・六メートル）、艪は百挺で、艫《とも》と舳先《へさき》に城のような矢倉を上げていた。

信長は舳先に立っていた。白銀色の南蛮胴の鎧をまとい、緋色のマントを風になびかせている。側には明智光秀や堀久太郎らが従っていた。

大船が横を通る時、信春ははっきりと信長の姿を見た。案外小柄で骨が細い。細面のととのった顔立ちだが、こめかみが青筋立っていかにも癇が強そうだった。

「あれが信長だ」

信春は久蔵に小声で告げた。

「ご出陣でしょうか」

「分らぬ。摂津では戦の最中だと聞いたが、軍勢は乗っていないようだ」

摂津の有岡城《ありおかじょう》では、荒木村重《あらきむらしげ》が信長に反旗をひるがえしている。これを討伐するために、信長は五万余の軍勢で有岡城を包囲していた。

百挺の艪でこぐ大船は、あっという間に通りすぎて南に向かっていった。

信春らの船は雄松ヶ崎の沖をすぎ、その日の夕方に高島の大溝《おおみぞ》港に錨を下ろした。

翌朝港を出ると、琵琶湖の対岸に安土城が見えた。外観五重の壮麗な天主閣が、安土山の山頂にそびえている。

三重目までは寺の本堂を思わせる瓦ぶきの大屋根で、外壁は黒漆塗りの縦板張りである。

四重目は八角形で柱や長押、高欄は朱塗り。壁は鮮やかな白漆喰。瓦は青である。

五重目は正方形で柱、長押、高欄は金箔張り。壁は群青色。屋根瓦は朱である。

ある禅僧は天主の様子を、

「五楼金殿雲上に秀《ひい》で、碧瓦朱甍日辺《へきがしゆへきにつぺん》に輝く」

とうたっている。

信長の天下布武を象徴する天主閣が、湖に浮かぶようにそびえていた。

その日は塩津の港で宿を取り、明日からの陸路にそなえて車借《しやしやく》をやとった。静子を荷車に横たえて、塩津街道を敦賀に向かうのである。

距離はおよそ五里。早出をすれば夕方には敦賀に着けるが、途中に険しい峠がある。重篤《じゆうとく》の静子には、耐えられるかどうか分らなかった。

「どうだ。ここで二、三日休んでいくか」

容体を案じてたずねたが、静子は早いほうがいいと言った。

「荷車に横になっているだけなら大丈夫です。早く七尾の海が見たい」

その夜、無理をして薄粥を食べた。側まで迫った死の影に抗い、一目故郷を見るために、少し

でも体力をつけようとしているのだった。

翌日は晴天だった。抜けるような真夏の空で、日中の強い陽射しにさらされることになる。信春は朱色の大きな日傘を買い、静子をおおうように荷車に固定した。

「これじゃあ、お姫さまの嫁入りだ」

初老の車借がからかった。

「そうだ。大事なお姫さまだから、心して引け」

信春は明るく応じて荷車の横を歩いた。

三方ケ岳のふもとまで進み、沓掛を通って山の尾根にたどりついた。近江と越前の国境である。かつては朝倉氏の領国だったが、六年前に信長に攻め滅ぼされたのだった。

尾根を下りてしばらく進むと麻生口に着く。ここから東へつづく道を行くと、北国街道に合流する。その途中の刀根坂《とねざか》で、信長軍と朝倉勢の激戦がおこなわれた。

朝倉義景は小谷城を救援しようと一万余の軍勢をひきいて余呉に布陣したが、信長軍の威容を目の当たりにして撤退の命令を下した。越前に戻って領国に立てこもらなければ、太刀打ちできないと判断したのである。

ところが信長はこれを読み、真夜中に朝倉勢が陣を引き払おうとした時に、馬廻り衆だけをひきいて先駆けをした。

これを見た先陣の佐久間信盛、柴田勝家、羽柴秀吉、丹羽長秀らは、信長に遅れては男がすたると、猛然と朝倉勢に攻めかかった。

朝倉義景は北国街道を北に敗走し、刀根坂をこえて敦賀に逃れようとした。ところが信長軍に追撃され、三千余人が討取られる大敗をきっしたのだった。

信春は麻生口で足を止め、

車借にたずねた。

「刀根坂までは、どれくらい離れている」

「およそ一里でございます」

「以前に大きな戦があったそうだな」

「野山が死骸で埋ったほどでございました。我らも仏さんの始末に狩り出され、えらい目にあいました」

戦死者の遺体を放置するわけにはいかない。そこで周辺住民に集めさせ、火葬に付して供養をさせる。その報酬に戦死者が身につけている鎧や武具を与えるのが慣例になっていた。

「討死した者の中に、能登畠山家の兵たちはいなかったか」

刀根坂の戦いで、敦賀城主だった朝倉土佐守も討死している。兄武之丞も土佐守に従って出陣したはずだった。

「さあ、うちらは家紋を見ても、どこの家中か分りませんので」

車借は興味なさそうに荷車を引きはじめた。

予定通り、夕方には敦賀についた。

船に乗ればあと二日で七尾に戻れるところまで、ようやくたどり着いたのだった。

ところが昨日から大風が吹き、海が荒れて船が出せないという。信春はやむなく海路の日和りを待つことにしたが、船宿で宿泊を拒否された。

「路銀ならある。先に取ってくれて結構だ」

信春は革袋ごと銀の小粒をさし出した。

「そうじゃないんで。お連れさまのご容体がすぐれないようでございますから」

船に乗られるお客さんは、験《げん》をかつがれる方が多いものですからと、宿の番頭はあからさまに眉をひそめた。

「病気だからこそ、宿でゆっくり休ませてやりたいんだ。離れでもいい。何とかしろ」

信春は腹を立てて強硬に迫ったが、番頭は迷惑そうに頭を下げるばかりだった。

「父上、やめて下さい。母さまが可哀想です」

久蔵が妙顕寺に行ってみようと言った。

静子と久蔵が、信春の帰りを待つ間世話になった寺だった。

妙顕寺の門前で車借を返し、静子を背負って境内に入った。寺の者たちは静子をよく覚えていて、以前に住んでいた僧坊を空けてくれた。

静子はすでに虫の息だった。弱音は一度ももらさなかったが、炎天下での陸路はこたえたのである。肌に現れた斑点が染みのように広がり始めていた。

「頑張れ。七尾はもうすぐだぞ」

信春は冷たくなりつつある手をさすって温めようとした。

静子は澄みきった目を開けて小さくうなずいた。すでに声を出す元気もないのだった。

しばらくして妙蓮寺の日達和尚が見舞いに来た。

「このようなご容体で、よう旅をして来られましたな」

なじるような誉めるような、どちらともつかない言い方だった。

その夜、信春は一睡もせずに静子の枕辺に座っていた。時には手をさすり、足をさするが、もはや何の役にも立たないことは、張りを失った肌の感触ではっきりと分った。

七尾を追われて八年。静子には苦労のかけ通しだった。絵師になる夢ばかりを追いかけ、やさしい言葉をかけてやる余裕さえなかった。

それでも静子は不平ひとつ言わず、支えつづけてくれたのである。その恩返しもできないまま死なせるのは、あまりにも哀れだった。

夜が明けた。天正七年(一五七九)六月十二日。永訣《えいけつ》の朝だった。

信春は静子の枕辺をそっと離れ、厠《かわや》に向かった。僧坊の縁側から天筒山が見えた。

明け方の薄青い空を背景にして、影絵のように黒くそびえている。山の尾根は北に伸び、金ケ崎へとつづいていた。

兄武之丞はこの城の守りを志願し、手柄を立てて畠山家の再興をはたそうとしていた。だが信長軍に攻められて朝倉家が滅びたために、それもかなわぬ夢になったのである。

今頃どうしているだろう。信長軍との戦いのさなかに討死したのか、それともしぶとく生き抜いて、再起を期しているだろうか。

（あの兄も五十を過ぎている）

ふとそんな感慨にとらわれた。心が砕けているせいか、身内のことがいつになく切々と思われた。

久蔵も今日がどんな日になるか予感している。朝からずっと静子に付き添っていたが、ふいに何も言わずに外に出ていった。

しばらくして戻った時には、十人ばかりの子供をつれていた。静子がここにいた時に、読み書き算盤を教えた子供たちだった。

「母さま、みんなが来てくれましたよ。分りますか」

久蔵の懸命な声が魂を呼び返したのだろう。静子は目を開き、枕辺に集まった教え子たちを見やった。

そして信春の手を借りて上体を起こし、

「みんな、立派になりましたね」

しっかりとした口調でそう言った。

あの頃五、六歳だった子供たちが、大人の入り口にさしかかっている。家業を手伝っている子がほとんどで、たくましく日焼けしていた。

「これを見て。こいつがまだ持っていたんですよ」

久蔵が立ち上がり、幼い頃の喧嘩相手だった長五郎と二人で一枚の絵を広げた。

気比神宮の祭りの日に描いた山車の絵だった。

「ありがとう。よく持っていてくれましたね」

「師匠からもらった絵だからね。敵が攻めて来た時にも、懐に入れて逃げたんだ」

長五郎が得意気に胸を張った。

敦賀に侵攻した信長軍は、容赦なく町を焼き払った。その戦火に巻き込まれ、親や兄弟を失った子供たちも多かったのである。

久蔵が皆を送って外に出ると、静子はほっとしたように横になった。そうして細い息をしながらいつの間にか眠っていたが、

「ああ、夢を見ていました」

目を覚ますなり小さくつぶやいた。

顔に血色がもどっている。命の火に内側から照らされたような瑞々しさだった。

「臨終の時には、一生のことが走馬灯のようにめぐると聞きましたが、本当ですね」

「見たのか」

「ええ。子供の頃から今日のことまで」

「ほんのちょっと眠っただけのようだったが」

「不思議ですね。いろんなことが思い出されて、泣いたり笑ったりしていました。もう一度生き直した気がします」

何やら愉しげである。自分の姿を遠いところから見つめているような淡々とした口ぶりだった。

「それから御仏にもお目にかかりました」

「どんな仏さまだった」

「法華経に説かれている通りです。天空の高みで黄金色に輝きながら、諸仏に法を説いておられました」

「それなら私も夢で見たことがある。御仏ばかりか周りのすべてがきらきらと輝いていただろう」

「そうです。その光に照らされて、胸の奥底から歓喜がわき上がって参りました」

その歓びはこれまで味わったことのないほど強く、すべてが在りのままで尊いことを教えてくれた。これが御仏とひとつになることだろうかと、静子は澄みきった目を輝かせた。

「そうだと思う。すべての執着を投げ棄て、三世の虚夢から解き放たれたなら、人にはそんな歓喜ばかりが残る。そう教えてもらったことがある」

「それが分っているのに、人はどうしてこんなに苦しむのでしょうね」

「さあ、どうしてだろうな」

「あなたも、ずいぶん辛いことに、耐えてこられたではありませんか」

一生の夢を見ているうちに、信春がどんな思いをしてきたかはっきりと分ったという。

「私の苦しみは、絵師になるために自分で選んだものだ。だがそのために、お前に辛い思いをさせてしまった」

「辛いと思ったことは一度もありません。あなたの絵が上達していくのを見るのが、わたくしの喜びでしたから」

「そうか。それならいいが」

「父母のことも、自分のせいだと思っていただかなくていいのですよ」

静子が労《いたわ》るように信春の手をさすった。

「いや、あれは私のせいだ。私が兄の誘いに乗らなければ」

二人が自害することも、七尾を追われて流浪することもなかったのである。

そのことを思うたびに、信春は自分の胸を叩き割りたいような後悔にかられるのだった。

「あなたが天下一の絵師になってくれることを、父はずっと願っていました。それだけの力があると見込んでいたのです」

「私を自由にするために身を捨てられたと、本延寺の和尚が教えて下された。私はそうとも知らず、自分のことだけを考えて兄の誘いに応じたのだ」

「父は絵仏師として生き、己れの信念に従って自決しました。父のそんな生き方に、母も殉じたのだと思います」

静子にはそれが分っていたという。だが信春には自分を気遣って言ってくれているように思えて、いっそう辛い気持になった。

いつのまにか久蔵がもどり、信春の横に座って話を聞いていた。

「みんなを連れてきてくれて、ありがとう。もうひとつ、頼みを聞いてくれますか」

画帳を見せてもらいたいと言った。

久蔵が妙国寺で描きためた絵を持っていることを、静子は知っていたのである。

「分りました。母さま」

久蔵が行李《こうり》から小さな画帳を取り出した。

信春は静子を抱き起こし、木筆で描いた絵を二人で見せてもらった。

日珖や日通の肖像画、妙国寺や堺の町の風景である。いつか港で見たコリーも生き生きと描いている。

いつの間にこれほど上達したのかと、啞然とするほどの出来だった。

「上手に描けています。ねえ、あなた」

「ああ、いったい誰から教わったのだ」

近頃は久蔵に絵の手ほどきをしていないし、画帳を開いているところを見たこともない。一人で隠れるようにして描いていたのだろうが、独学でここまで描けるようになるとは驚くべき才能だった。

「あなたは絵師になりたいのですか」

「はい。母さま」

「それなら父上の弟子になりなさい。いつも側にいてお仕事を手伝っているうちに、父上のお力が自然とあなたに移っていくはずです」

「分りました。そうしますから安心して下さい」

「あなたもこの子を、弟子にしてくれますね」

「ああ、長谷川家の四代目だ。立派な絵師になってくれるだろう」

「そうですね。これで思い残すことはありません」

静子は愛おしげに画帳に見入っていたが、急に力を失って信春の胸にもたれかかった。

「母さまが、母さまが去っていかれます」

久蔵が宙を追いながら叫んだ。

信春はそちらをふり返ったが、何も見えない。ただ静子の命が尽きたことは、腕に伝わる感触の変化で分った。

「静子、静子」

小声で語りかけて体をゆすったが、首が頼りなくゆれるばかりである。

信春はひとしきり茫然としていた。

悲しみはまだ来ない。時間が止ったような静けさの中で、取り残された淋しさだけがひしひしと迫ってきた。

葬儀は妙蓮寺にお願いした。

「心安らかに、旅立たれたようですな」

それが表情に表れていると、日達和尚が数珠を鳴らしながら経をとなえた。

遺骨も寺で預かってもらい、七尾にもどれる日が来たなら父母が眠る長寿寺に移すことにした。

「これから、どうなされますか」

初七日の法要を終えてから、日達がたずねた。

「分りません。どこかに身をひそめて、絵の修行に打ち込みたいと思っています」

「静子さんはよく出来た方でしたな。敦賀を出られてからも、お師匠さんはいつもどられるのかと、町の方によくたずねられました」

それを聞いた途端、堰が切れたように信春の胸に悲しみが突き上げてきた。

もう二度と静子に会えないことを、まざまざと実感したのだった。

第六章　対決

天正十三年（一五八五）の夏、長谷川信春（等伯）は堺の油屋にいた。

敦賀で静子の葬儀をすませた後、久蔵と二人で知り合いの寺を転々とし、仏画や襖絵などを描いて喰いつないでいた。そんな暮らしが三年つづいた天正十年（一五八二）の六月、信春にとっては僥倖《ぎょうこう》ともいうべき事件が起こった。

宿敵信長が本能寺で明智光秀に襲われ、四十九歳を一期《いちご》として果てたのである。

その光秀も山崎の合戦で羽柴秀吉に敗れて横死し、世は秀吉の時代になりつつある。日蓮宗への弾圧も緩和されているので、堺にもどっても大丈夫だ。

天正十一年の年明け早々に、日通がそう知らせてきた。

信春は飛び立つ思いで堺に向かったが、妙国寺に入る気にはなれなかった。静子と暮らしていた頃の思い出があまりにも鮮やかで、平気ではいられなかった。

それなら油屋に住んだらどうかと、日通が誘ってくれた。

油屋は安土宗論後の混乱のさなかに主人常祐《じょうゆう》を失い、今は弟の常金《じょうきん》が跡をついでいる。常金は日通の父親なので、さまざまな便宜をはかってくれたのだった。

それから二年の間、信春は障壁画や水墨画、肖像画、大和絵などあらゆる分野の絵に取り組み、研鑽をつんできた。

油屋の茶会にも招かれ、千宗易（利休）や今井宗久らの知遇を得るようにもなった。

すでに四十七歳になり、どの分野においても一流の域に達していたが、近頃では西洋画の技法の習得に意欲をもやしていた。

きっかけは日比屋了珪の書庫で西洋の絵を見せてもらったことである。

了珪はキリシタン宣教師やポルトガル商人との付き合いが深く、西洋の絵も二十枚ちかく買い集めていた。

その多くは同時代の画家が描いた宗教画や人物画、戦争画だが、中にはミケランジェロやラファエロ、レオナルド・ダ・ヴィンチを模写したものもあった。

日本にはない油絵具で描かれた絵は、色彩が豊かである。どうしたらこんな色が出せるのかと、画布を削ってみたいほどだ。

意匠や構図が大胆で、遠近法を用いた立体感の出し方や、光と影を強調して対象を浮き立たせる画法にも、学ぶべきところが多い。

信春は了珪から気に入った絵を借り受け、油屋に持ち帰って模写するようになった。草木や岩の絵具では表現に限界があるが、西洋画の骨法《こつぽう》を学ぶには充分だった。

いつか京都に出て狩野永徳と腕を競う夢を、信春は今も諦めてはいない。彼我の立場の差は依然として大きいが、絵では負けないという自負だけは持ちつづけていた。

信春が目下取り組んでいるのは、ダ・ヴィンチの『ジョコンド夫人』だった。

フィレンツェの商人ジョコンドの妻であるエリザベッタを描いたもので、今日では『モナ・リザ』の名で知られている。

信春は了珪の書庫でこの絵を見た時、静子によく似ていると思った。顔立ちといい、かすかに笑みを浮かべてこちらに目差《まなざし》を向けた姿といい、まるで本人を見ているようである。

しかも驚くべきは、夫人の姿と背後の風景の均整の良さだった。

遠近法を用いた風景を背後に描くことで、夫人が現実の景色の中に立っているように見えるし、口元に浮かべた笑みによりいっそう深みが感じられる。

「このダ・ヴィンチという画家は、八十年も前にこの絵を描いたそうです」

了珪がそう教えてくれた。

この絵が完成したのは一五〇六年だから、信春が生まれる三十三年も前だった。

「ダ・ヴィンチの絵が世に出たことで、西洋の人々の人間観が変わったそうです。優れた絵には、それほどの力があるということでしょうな」

その言葉に触発された信春は、この絵を模写して技法を習得し、静子の肖像画を描いてみようと思った。

子供を抱いた鬼子母神《きしもじん》として静子を、その背後に遠近法を用いた風景画を描くことにしたが、

うまく釣り合いが取れなかった。平面的な肖像画ばかりを描いてきたせいか、急に風景を描き加えてもチグハグな感じがするのである。

それでも信春は諦めなかった。湿気の多いうだるような暑さに耐えながら四苦八苦しているうちに、静子の七回忌が過ぎ、いつの間にか七月になっていた。

「長谷川先生、よろしいでしょうか」

廊下を踏みしめる足音とためらいのない声がして、油屋の娘清子《せいこ》が入ってきた。

中背の太った体付きをして、顔ははちきれんばかりに丸い。目が細く鼻が低いので決して美形とはいえないが、はつらつとした気の強い性格と愛敬の良さが取り柄《え》だった。

先代常祐の娘だから、日通の従妹《いとこ》にあたる。堺の納屋《なや》に嫁いでいたが、常祐の死後、子供ができないという理由で実家に帰されていた。

「奥さまの絵は、まだでき上がらないのですか」

清子が信春の肩ごしに絵をのぞき込んだ。

「どうもいかん。もう七回忌も終わってしまった」

本当なら追善茶会でこの絵を披露したかったが、うまく描けないので断念したのだった。

「そうですか。よく描けてますけど」

清子は遠慮なく信春の横に座り、しばらくじっとながめ入った。

「けど、か。その先の批評が聞きたいものだ」

「いいんですか。私のような者がそんなことを言って」

「構わんよ。気付いたことがあったら遠慮なく言ってくれ」

「こうして見ていると、絵の形だけ真似《まね》ておられる気がいたします」

ぎくりとするほど鋭い指摘である。信春は思わず清子の顔をまじまじと見つめた。

「すみません。生意気なことを言って」

清子は丸い頬を赤く染めて恐縮した。

もう三十をこえているが、少女のように無邪気なところがあった。

「いや、その通りだ。お清どん」

信春は清子の気持を軽くしてやろうとそんな呼び方をした。

「たしかに仏ばかりを作ろうとして、魂を忘れていたのかもしれない」

「これから日比屋さんに行きますが、何かご用はありませんか」

清子はモニカ春子と親しく、時々病院を手伝ったり本を借りたりしている。これから賛美歌の本を返しに行くので、用があるなら言いつけてもらいたいという。

「お清どんはキリシタンを信仰しているのかね」

「ちがいます。患者さんを元気づけるために、病院で歌をうたっているのです」

「そうか。それなら」

ダ・ヴィンチの模写を返してきてもらおうと思ったが、額に入れた絵は重いので、清子に持たせるのは気の毒だった。

「たまには先生も一緒に行きませんか」

「ちょっと用事があってね。かわりに久蔵に行ってもらおう」

おーいとふすま越しに呼ぶと、絵具に汚れた麻の小袖を着た久蔵が現れた。

十八歳になる。面長の精悍《せいかん》な顔をして、背丈も信春に劣らぬほど大きくなっていた。

「岩絵具を使っているようだな」

「日通さんから鬼子母神十羅刹女《じゅうらせつにょ》を頼まれましたので」

久蔵も注文を受けて絵を描くようになっている。まず手始めは、長谷川家のお家芸である絵仏師としての仕事からだった。

「手がふさがっているか」

「いえ、今終ったところです」

「それならお清さんと、この絵を返しに行ってきてくれ」

「ちょっと待って下さい」

久蔵は部屋にもどり、さっぱりとした薄水色の小袖に着替えてきた。父親の信春が感心するほどの男ぶりだった。

「ついでに、好きな洋画を借りてくればいい」

「今は曾我派と狩野派の絵を学んでいますから」

では行きましょうかと、布に包んだ『ジョコンド夫人』を抱え上げた。

「久蔵さんと歩いていると、みんながふり返りますからね。妙な誤解をされないかしら」

清子は困った顔をしながらも、まんざらでもなさそうだった。

七月十二日、静子の月命日のお経をあげていると、日通が息せき切ってたずねてきた。

「いい知らせです。ようやく我らの悲願がかないました」

「どうしました。そんなに汗だくになって」

「昨日羽柴秀吉公が関白になられました。それにともなって、安土宗論での処分を撤回することになされたのです」

関白に就任した秀吉は、代替りの恩赦として日蓮宗への弾圧をやめることにした。これで日珖や日淵など宗論に関わった者たちもお構いなしになるし、布教活動の自由も保証されたのだった。

「京都の寺にもどることもできます。本法寺を再建することも夢ではありませんよ」

「そうですか。良かったですね」

信春は日通と手を取り合って喜んだが、自身は京都に入ることはできなかった。

信春を目の敵にしていた信長や信忠、京都奉行の村井貞勝《むらいさだかつ》は、本能寺の変で討死した。だが秀吉は信長時代の方針を受け継いでいるので、信春は織田家に敵対した罪人と見なされていた。

「世の中は変わりました。きっと長谷川さまもお構いなしになりますよ」

「いいのです。こうしてここに置いてもらえるだけで有難いと思っていますから」

信春は多くを期待していなかった。信長軍の迫害に耐えてきた歳月があまりに長いので、秀吉の代になっても状況が好転するとは思えなかった。

それから数日後――。

「長谷川先生、お客さまです」

清子が血相を変えて取り次ぎに来た。

「どうした。どなたかね」

「十人ばかりの供をつれたお武家さまです。前田さまとおっしゃいました」

「心当たりがないな。どんな用件だろう」

「お目にかかりたいと。それだけしかおおせになりません」

「通してくれ。あるいは加賀の前田さまかもしれぬ」

昨年八月、秀吉は十万の兵をひきいて越中の佐々成政《さっさなりまさ》を下し、加賀、能登、越中の大半を前田利家《としいえ》に与えた。信春の故郷七尾の領主でもある。何か用があって使者をつかわしたのかもしれなかった。

入ってきたのは、四角い顔をして鼻の大きな五十がらみの男だった。烏帽子をかぶっているが、頭を僧形にそり上げていた。

「長谷川さま、お久しゅうございますな」

対面するなりそう言ったが、信春には覚えがなかった。

「これでも、思い出していただけませぬか」

烏帽子をとって僧形の姿をさらし、さあどうですと言わんばかりの顔をした。

「申し訳ございません。どこかでお目にかかった気はするのですが」

どこで会ったかも誰なのかも分らない。相手がいかにも親しげなので、信春は申し訳なさに身

の置きどころがない気持になった。

「今は前田玄以《げんい》と名乗っておりますが、元の名は徳善《とくぜん》と申します。比叡山焼討ちのさなかに助けていただきました」

「ああ、あの時の」

信春は幼子《おさなご》を抱えた僧の姿を鮮やかに思い出した。

信長軍のなで斬りから逃れて、信春は洛中につづく道を駆け下りていた。その途中で、十人ばかりの僧が織田信忠勢の足軽に取り囲まれている所に出くわした。

久蔵と同じ年頃の幼子を見ると、信春は無我夢中で足軽たちの前に立ちはだかり、数人を打ち倒して徳善たちを助けたのだった。

「あの折には、ありがとうございました。おかげでこうして生きております」

玄以が深々と頭を下げた。

「ご無事で何よりです。あの時には僧侶の姿をしておられましたが」

「比叡山で修行をしておりました。ところが焼討ちにあったので、近衛の若さまをお守りして逃げていたのです」

「還俗《げんぞく》なされたのですか」

「あの事件の後、私は信仰の無力を痛感いたしました。人々を幸せにするためには、政《まつりごと》によって世の中を変えていくしかないと思ったのです」

玄以は美濃の生まれで、父は織田家に仕えていた。その縁を頼って信長に仕えるようになり、

後に信忠付きの近習となった。

比叡山焼討ちを強行した信長を理解するには、内懐に飛び込むしかないと、人一倍努力して立身したという。

「それで、分りましたか。なぜあんな惨《むご》いことをなされたのか」

「分ったとは言えません。ただ信長公には、この国を理想通りに作り変えなければならぬという強い思いがありました。そのためには何もかも踏み越えていくと、決意しておられたのでございましょう」

「神仏の教えを踏みにじり、情容赦なく人を殺して、はたして理想の国がきずけるものでしょうか」

「我々のように普通の常識を持ちあわせている者には、とてもそのようなことはできません。しかし信長公は、自分にはその権利があると考えておられたのです」

「馬鹿な。そんな権利があってたまるものですか」

「普通の者にはついて行けない考え方です。だから相ついで離反や裏切りにあい、最後は本能寺であのような最期を迎えられたのです」

変の当日、玄以は信忠とともに二条御所にいた。もはやこれまでと覚悟したが、信忠に三法師《さんぼうし》（後の秀信）をつれて脱出するように命じられ、尾張の清洲城まで無事に送りとどけたのである。

「そうですか。比叡山の時と同じですね」

「そのような巡り合わせなのでしょう。実は信長公が上京を焼討ちされた時にも、長谷川さまに

お目にかかったのですよ」

「あの日は本法寺が焼かれそうなので、妻子をつれて逃げ出しましたが」

信春は十二年前の記憶をたどった。

久蔵を背負い静子の手を引いて炎の中を逃げまどっていると、信忠勢の足軽たちに襲われた。

比叡山で信春が討ち果たした者の縁者で、身内の恥をすすぐためにつけ狙っていたのである。

細い路地で前後を囲まれ、絶体絶命の窮地におちいった時、面頬をつけた騎馬武者が助けてくれた。

「もしや、あの騎馬武者は」

「そうです。信忠公の使い番をつとめていたので、武左衛門らのたくらみに気がついたのです」

たしかに足軽の頭は武左衛門といった。比叡山でお前に討たれた長井兵庫助の兄だと名乗ったのである。

「前に助けていただいた者だとおおせられたのは覚えています。でも、まさか」

比叡山で助けた僧が武者になっているとは、思いもしなかった。

「命あって再びお目にかかることができました。これもご縁でしょう」

「それで今は、どうしておられるのですか」

「秀吉公に命じられて、京都所司代をつとめております」

「所司代といえば、京都奉行のことでしょうか」

「前任の村井どのは、二条御所で信忠公に殉じられました。その後任を拝しております」

「それは大変なご出世ではありませんか」

「三法師さまを助け出したことを、秀吉公が賞して下されたのです。たいしたことは出来ませんが」

　これからは信春の役に立つことができるかもしれないと、玄以は一通の立て文をさし出した。

　菊の御紋が入った料紙に、信春の罪を許し天下往来の自由を認める、と記されている。関白となった秀吉の朱印状だった。

「こ、これは……」

「さよう。関白殿下が長谷川さまの罪を許されたのです。洛中にお戻りになろうと七尾に行かれようと、これからはお心のままでございます」

「かたじけない。このようなお計らいをいただき、何とお礼を申し上げて良いか」

「私の力ではありません。近衛太閤のお口添えがあったからできたことです」

　近衛太閤とは関白をしりぞいた前久のことだった。

「近衛さまは都落ちをなされたと聞きましたが」

「本能寺の変に関与していたと疑われ、徳川家康どののもとに身を寄せておられました。ところが一昨年の九月、家康どのの取りなしによって都にもどられたのです」

「疑いが晴れた、ということでしょうか」

　光秀が山崎の戦いに敗れて亡びた後も、本能寺の変の黒幕は近衛前久だという噂は根強くささやかれていた。

信長の三男信孝は実否を問い質すために前久を拘束しようとしたが、前久はいち早く嵯峨に落ちのび、家康を頼って浜松に逃れたのである。

武家伝奏をつとめていた勧修寺晴豊《かじゅうじはれとよ》は、天正十年（一五八二）六月十七日の日記に次のように記している。

〈近衛殿、入道殿、嵯峨御忍候《おしのび》。打可申候《もうすべく》とて人数さがへ越候。御ぬけ候。御方御所（誠仁《さねひと》親王）にても御きづかい也。見舞に参り候也。近衛殿今度ひきょ（非拠）事外也《ことのほか》〉

前久と入道が嵯峨に脱出したので、信孝が討ち果たそうとして軍勢をさし向けたが、いち早く抜け出した。誠仁親王もとても心配しておられるので、見舞いに行った。前久の今度のやり方ははなはだ非拠（道理がない）である。

およそそんな意味である。晴豊が前久の何をさして非拠だと非難しているのか定かではないが、変に関与したと考えていたことは間違いないだろう。

信春もこうした噂を聞いている。そして前久の信念や言動からすれば、信長を討とうとするのは当然のことだと思っていた。

「疑いが晴れたかどうか、私には分りません。ただ信孝公はすでに自害され、信雄《のぶかつ》公も関白殿下の軍門に降っておられます。もはや誰が本能寺の変に関与していたかなど、さして重要なことではなくなったのです」

状況が変ったということである。しかも秀吉は、前久の猶子《ゆうし》にしてもらうことで関白に就任する道を開いたのだった。

「朝廷には五摂家の出身者しか摂政や関白になれない不文律があります。関白殿下は近衛太閤の猶子になられることでその地位につかれたのですから、長谷川さまの処遇についても快く応じて下されたのです」

「近衛さまは、私のことをそれほど気にかけて下されたのですか」

「身《み》が無理なことを頼んだために、日の目を見れない生き方をさせたとおおせでした。晴れて自由の身になられたのですから、お礼に参上なされたらいかがですか」

「訪ねてもいいのでしょうか。私のような者が」

「お喜びになられますよ。長谷川さまのことを高く買っておられますから」

ついでに京都所司代にも遊びに来てくれと言い、玄以は店先に待たせた駕籠《かご》に乗って帰っていった。

信春はしばらく茫然としていた。運命のあまりの急変に、これが現実とは思えない。誰かが悪いいたずらを仕掛けているような気がした。

夢心地のまま妙国寺を訪ね、日通に事の次第を打ち明けた。

「おそれ入りますが、その朱印状を見せていただけますか」

日通は偽物ではないかと疑い、信春が出した書状にじっくりと見入った。

「まちがいありません。寺に来ているものと同じ朱印です。これで大手を振って日本中を歩けますよ」

「十四年前に比叡山で助けた方が、京都所司代になっておられました。こんなことって本当にあ

るのでしょうか」

「あなたの善根《ぜんこん》が呼び寄せた縁ですよ。おめでとう。長年の苦労が報われましたね」

信春は久蔵にもこのことを伝え、朱印状を仏前にそなえて静子に報告した。

ずいぶん回り道をしたが、これでようやく都にもどって絵師の道に踏み出せる。これも静子の加護《かご》があったからだと思った。

「これからだ。これから永徳に負けない絵師になってやる。なあ久蔵」

「良かったですね。母《かか》さま」

久蔵は昔と同じ調子で語りかけた。今も静子の姿が見えているようだった。


八月になり暑さが一段落してから、信春は京都の近衛邸を訪ねた。手には描き上げたばかりの鷹の絵をたずさえている。鷹狩りの名手である前久へのお礼の品だった。

近衛邸は二条御所の東隣にあった。

本能寺の変の時には明智勢が踏み込み、二条御所にたてこもった織田信忠勢に銃撃をあびせた。このために前久が光秀と通じていたという疑いは、いっそう強くなったのだった。

前久は書院にいた。本能寺の変の直後に出家し、龍山《りゅうざん》と名乗っている。頭も僧形にし、薄墨の衣をまとっていた。

「よう来た。無事で何よりや」

「このたびはお口添えをいただき、まことにありがとうございました」

信春は心ばかりのお礼にと、木箱に入れた絵をさし出した。

「何や、それは」

「岩場の鷹でございます」

「開けてみい」

相変わらず高飛車な態度だが、少しも不快を感じないのは前久の人柄を知っているからだった。

絵は掛け軸にしたもので、山上の岩場から鋭い目をして飛び立とうとする鷹を描いたものだった。

「いい出来や。そやけど俺はいらん。息子にやってくれ」

「お気に召されませぬか」

「それは三年前の俺の姿や。今は出家して心おだやかに暮らしとる。それにな」

秀吉が朱印状を書いたのは、自分ではなく前田玄以が尽力したからだと言った。

「前田さまは近衛さまのお力だとおおせられました」

「あれは慎《つつし》み深い男やから、手柄をひけらかさんのやろ。それにしても長いことやったな」

「丹波の黒井城でお別れして以来でございます」

「もう十年か。その間、どうしとった」

「しばらく丹波を転々とした後、堺の妙国寺に身を寄せておりました」

「妙国寺といえば、日珖が住職をつとめておったな。油屋常言の息子で、本圀寺の日禛の師匠にあたる」

こうしたことに通暁《つうぎょう》し、記憶がよどみなく出てくるところが、公家社会の頂点に立つ前久の凄みだった。

「さようでございます。されど安土宗論の後に弾圧を受け、私は寺にいられなくなりました」

「あれは信長が、イエズス会に頼まれて法華宗をつぶそうとしたんや」

イエズス会は仏教諸派の中でも一向宗と法華宗を目の敵にしていた。またポルトガル商人も、堺での交易をめぐって法華門徒の商人たちと対立していた。

そこで両者は信長に圧力をかけ、法華宗の動きを封じようとしたのだった。

「近衛さまはどうしておられましたか」

「俺か。俺は信長と仲良うしとった。天正三年から天正十年、いや九年まではな」

「恐れながら、それはご本心からでございましょうか」

「そうや。あれはまれにみる才能の持ち主やった。あれほどの人物は、本朝の歴史の中でも清盛と尊氏くらいしかおらんやろう。そう思うたから誠心誠意付き合って、信長の力をこの国のために役立てようとしたんや」

言葉の通り、前久は信長のために縦横の働きをした。

天正三年九月には薩摩に下って島津家と信長の仲を取りもったし、天正六年には荒木村重の謀《む》叛《ほん》によって窮地におちいった信長のために、本願寺との勅命和議の工作を進めた。

天正八年にはその工作が実を結んで信長と本願寺の勅命和議が成った。前久はこの時、近衛家の軍勢をまず本願寺の出城に入れ、一向一揆勢の退去を監視する役目まではたしている。

これに対して信長も前久を手厚く遇した。前久の嫡男信基《のぶもと》（後の信尹《のぶただ》）の元服式には烏帽子親をつとめているし、翌年には横領されていた近衛家の所領千五百石を旧に復している。

こうした政治的な分野だけでなく、前久と信長は乗馬や鷹狩りなどの趣味でも馬が合った。前久が持つ深い教養と鍛え抜いた洞察力も、信長にとっては魅力だったにちがいない。

そのことは前久にあてた手紙に「ふと上洛申し候わんまま、面謁《めんえつ》をもって申し述ぶべく候」と記していることからもうかがえる。信長にとって前久は、ふと思いついたり暇ができた時に訪ねたいほど親しい存在になっていたのである。

「あのまま何事もなく時が過ぎていたなら、信長と手をたずさえてこの国を変えていくことができたはずや。ところが天正八年になって、思いがけないことが起こった」

「その頃信長公は石山本願寺を下し、日の出の勢いだったと存じますが」

「まさにそうや。ところが異変は海外で起こった。信長が頼りにしとったポルトガルが、スペインに併合されてしもうたんや」

西暦一五八〇年、スペイン国王フェリーペⅡ世は、かねてから植民地の領有問題で対立していた隣国ポルトガルに侵攻し、併合した上で国王を兼務した。

このためポルトガル領だった植民地がスペインのものとなり、アジア・アフリカから南北アメリカにまたがる「太陽の沈まぬ帝国」が誕生したのである。

「お言葉ですが、そんな遠い国の出来事が信長公に関係あるのでしょうか」

「あるに決っとる。堺におったんやから、信春かて南蛮貿易がどれほど大きな利益を生むか知っ

とるやろ」

「生糸や薬種《やくしゅ》、陶磁器などを買い付ければ、驚くほどの利益が上がると聞いたことがあります」

そうした話題は、納屋衆が集まる茶会で飛び交っていた。堺で茶の湯があれほど盛んになったのは、特定の者たちだけが参加できる商談の場だったからなのである。

「それだけやない。軟鋼《なんこう》や真鍮《しんちゅう》を輸入せんと鉄砲は作れんし、硝石や鉛がなければ鉄砲は使えん。信長はこれらの軍需物資を、マカオのポルトガル商人から手に入れとったんや」

信長がイエズス会を手厚く保護したのは、彼らの背後にいるポルトガルと友好関係を保ち、堺での貿易を円滑におこなう目的があったからである。

ところがポルトガルが併合されたために、スペインと新たな外交関係をきずく必要に迫られたのだった。

「この交渉をするために、イエズス会の大物であるヴァリニャーノが天正九年の二月に上洛した。信長が内裏の隣で馬揃えをおこなったのは、ヴァリニャーノにこの国を支配していることを見せつけるためやったんや」

前久は馬揃えに猛然と反対した。

この国の主《あるじ》は帝《みかど》である。外交権は古くから朝廷に属しているので、勅許を得なければ武家が独断で外国との条約をむすぶことはできない。そう主張した。

信長はいくらか譲歩し、馬揃えは帝のご叡覧《えいらん》に供《きょう》するためという名目にしたが、実質的な主賓《しゅひん》はヴァリニャーノだった。

「俺もこの馬揃えを見物した。信長はいかにも得意気にひげをねじっておったが、公家の身でこんなことを許せると思うか。こいつはもう殺さなならんと思うたのは、その時からや」

前久は信長の方針に不満と反感を持つ者たちとひそかに連絡を取り、備後の鞆《とも》ノ浦に亡命中の足利義昭を呼びもどして幕府を再興する計画をねり上げた。

そして信長に「太政大臣か関白か将軍か、いずれの官にも推任《すいにん》するので早く上洛してほしい」という書状を送っておびき出し、明智光秀に討伐させたのである。

「そやけどあんじょういったのはここまでや。思わぬ裏切り者がいて、漁夫の利をかすめていきよった」

「どなたが、そのようなことを」

「知らん方がええ。俺も負け惜しみは言いとうないよってな」

前久は剃《そ》り上げた頭をつるりとなで、これからはこの屋敷を再建し、子孫に引き継ぐことだけを目標にして生きると言った。

近衛のしだれ桜で有名だった屋敷は、本能寺の変や信孝勢の狼藉によって荒れはて、かろうじて雨露をしのいでいる状態だった。

「信春はこれからどうするんや」

「自由の身にしていただきましたので、都にもどって絵の修行をつづけたいと思います」

「そんなら絵所《えどころ》の別当になるか」

絵所とは朝廷で絵画のことをつかさどった役所である。別当はその長官だった。

「秀吉は関白になって朝廷を復興すると言うとるさかい、絵所の仕事はこれからなんぼでもあるはずや」

「ご配慮はありがたいのですが」

もうしばらく自由な立場で、自分の絵をみがき上げる必要があると感じていた。

「そうか。断わるか」

「申し訳ございません」

「構わへん。絵師は己れの信念に忠実に生きるべきや。そうせんと新しいもんは生み出せん」

その点、狩野永徳はなっとらんと、いかにも見下げたように眉をひそめた。

「それは……、何ゆえでございましょうか」

「信長が亡びたとたん、秀吉に乗り替えよったからや。それも絵師の魂を売りわたすような汚い真似をしてな」

何があったか言わないが、前久の嫌悪は目の色にはっきりと表れていた。

「ええか信春、俺ら政《まつりごと》にたずさわる者《もん》は、信念のために嘘をつく。時には人をだまし、陥《おとしい》れ、裏切ることもある。だが、それでええと思とる訳やない。そやさかい常《とこ》しえの真・善・美を乞《こ》い求め、心の底から打ち震わしてくれるのを待っとんのや。絵師は求道者や。この世の名利に目がくらんだらあかん」

（下巻につづく）

初出　日本経済新聞朝刊（二〇一一年一月二十二日～二〇一二年五月十三日）
＊単行本化にあたり加筆修正しました。

安部龍太郎（あべ・りゅうたろう）
一九五五年福岡県生まれ。久留米高専卒。一九九〇年『血の日本史』でデビュー。二〇〇五年『天馬、翔ける』で中山義秀文学賞を受賞。著作は『関ヶ原連判状』『信長燃ゆ』『生きて候』『天下布武』『恋七夜』『道誉と正成』『下天を謀る』『蒼き信長』『レオン氏郷』など多数。

等伯《とうはく》　上

二〇一二年九月十四日　第一刷
二〇一三年一月二十四日　第八刷

著者――安部龍太郎
発行者――斎田久夫
発行所――日本経済新聞出版社
http://www.nikkeibook.com/
東京都千代田区大手町一―三―七
郵便番号　一〇〇―八〇六六
電話　〇三―三二七〇―〇二五一（代）

印刷・精興社／製本・大口製本

ISBN978-4-532-17113-1
Printed in Japan